덕분에 더 나은 사람이 되었어

덕분에 더 나은 사람이 되었어

강희진

최효나

김태인

민경해

이영웅

홍정아

단 비

박태랑

김서영

김현정

그러지 말걸. 하루 종일 그런 후회가 나를 붙잡아 끌어내린다. 스스로 왜 그랬냐며 꼬집고 할퀸다. 나는 현재의 나를 싫어한다. 하지만 과거의 나 또한 그렇냐고 물어본다면 고개를 끄덕일 수 없다. 참 이상한 일인데, 과거의 나도 싫어하는 게 맞을 텐데 그렇지 않다. 대견하고 감사하다. 버텨줘서 고맙다.

나는 하루 전에 나보다 더 많은 글을 적었고 일주일 전의 나보다 더 많은 사람을 만났고 한 달 전의 나보다 더 많이 웃었다. 그리도 미워했던 나 덕분에 더 나은 사람이 되었다.

이 책에 나와 있는 모든 글은 그런 변화를 담아내었다. 타인에게 상처받고 스스로 상처를 내고 누군가를 통해 상처가 치유되는 과정을 그려내었다.

우리가 바라는 것은 자그마하다. 책을 덮는 순간에 스스로에게 고맙다 말해줄 것, 당신의 책장에서 우리의 기록이 사라지지 않을 것. 그저 이것뿐이면 된다.

- 공동저자 中 최효나

차 례

들어가며 · 5

강희진 어머니의 죽음 · 9

최효나 물방울 속인지도 몰라 · 33

김태인 몽키스패너 · 45

민경해 사랑하는 나의 수호천사 · 69

이영웅 세계평화 · 101

홍정아 나의 체인징메이트 이야기 · 133

단비 스무 살의 대상포진 · 169

박태랑 나의 옛날이야기 · 191

김서영 시작을 삼켰다. · 215

김현정 감정의 밥 · 237

어머니의 죽음

강희진

강희진 하고 싶은 것이 많아 끊임없이 움직입니다. 연극을 하고, 자작곡이 있으며, 틈만 나면 글을 씁니다. 계절, 사물 등 모든 것에 의미를 담는 것을 좋아합니다. 쉬는 날이면 보고 싶었던 영화나 책을 보며 박장대소를 하기도, 눈물을 흘리기도 합니다. 감정을 표현하는 데는 말보다 글이 편합니다. 특히 무겁고 섬세한 감정을 글로써 다루다 보면 어느새 그것이 해소되는 것을 느낍니다. 나도 모르게 눈물이 흐르는 정화의 순간을 사랑합니다.

email: gmlwls4302@naver.com

한 통의 전화가 왔다.

"박소현 씨 댁 맞으시죠?"

"네, 맞는데요."

그는 자신을 경찰이라고 소개했다. 어머니가 돌아가셨는데, 신원 확인이 필요하니 최대한 빨리 와달라는 연락이었다.

"한평성모병원 영안실로 와주시면 됩니다."

뚝- 나는 움직이지 못했다. 움직일 수 없었다. 몸이 굳어버린 기분이었다. 어머니라고? 정말? 진짜 엄마일까? 양손으로 천천히 수화기를 내려놓았다. 15년 만의 소식이었다. 언제 그랬냐는 듯 이제는 미동도 없는 빨간색 전화기만 바라보고 있었다. 단 몇 분 만에 방의 공기가 무거워졌다. 아버지의 방, 아버지의 옷장, 아버지의 침대가 있는 좁은 아버지의 침실에서 어머니의 소식을 나는 듣고 있었다. 아니, 진짜 어머니가 아닐 수도 있지 않은가. 문 바깥에서는 빨래가 세탁기 안에서 돌아가는 소리가 규칙적으로 들렸다. 그 소리가 배경음이 되어 더이상 아무 소리도 들리지 않는 것처럼 느껴질 때 즈음, 바닥에서 무언가 미세하게 움직이는 것이 느껴졌다. 시선이 닿은 곳엔 작은 벼룩 한 마리가 있었다. 누런색 장판 탓에 아주 작은 벌레조차 눈에 잘 띄는 게 흠이었다. 나는 옆에 놓인 빈 유리잔을 뒤집어 그를 가둬 놓았다.

정신을 차리고 몸을 일으켜 부엌으로 향했다. 밥솥을 확인하니, 딱한 그릇 정도의 분량밖에 남아있지 않았다. 솥 안에 있는 밥을 그릇에 옮겨 담은 뒤, 위에 랩을 씌웠다. 최소한 저녁 전까지는 돌아와야 할 것 같았다. 오전에 담가 놓았던 미역을 소고기 볶아놓은 냄비에 옮겨 담은 뒤 물을 부었다. 불을 켜놓고 잠시 미동도 없는 국 안을 바라보았다. 정말 어머니가 맞을까. 그렇다면 어떡하지. 좁디좁아 한 다리 건너면 속사정을 다 아는 마을에서도 모르는 게 있었다. 마음먹고 숨어버린 사람은 원래 없던 사람과 마찬가지였다.

눈을 떴다. 깜깜한 밤이었다. '똑-딱-똑-딱-' 시계 초침 소리가 방 안을 가득 채우고 있었다. 옆에는 네 살 터울의 귀여운 동생 은수가 곤히 누워 자고 있었다. 연한 분홍색의 긴 소매를 가진 내복 중앙에는 만화 '하얀 마음 백구' 캐릭터들이 그려져 있었고, 그들은 동생의 배를 다 덮어주지 못했다. 쌕쌕거리며 잠에 푹 빠져 있는 동생의 입에서는 투명한 액체가 흘러 짙은 갈색의 머리칼을 지나 베개까지 도달하고 있었다. 상처 하나 없는 뽀얗고 깨끗한 피부에 눈을 감고 있어도 드러나는 천진난만함. 살짝 열린 창틈으로 들어온 늦겨울 바람의 찬기가 내 피부를 일으켰다. 동생의 봉긋한 배와 가슴이 덮이도록 조심히 이불을 올려준 뒤, 살금살금 자리에서 빠져나왔다. 시계의 시침은 2를 살짝 지나있었고, 분침은 3을 가리키고 있었다. 나는 파란색 긴 소매를 가진, 동생과 같은 디자인의 내복 차림이었다. 함박눈에 벌써부터 봄을 준비하던 시장에서 이제는 팔리지 않는다고 판단했는지 싼값에 내놓은 내복이었다. 엄마는 그날 밤, 동생 생일 겸 초등학교 졸업을 앞둔 나를 위한 선물이라며 '짜잔!' 하고 건네주었다. 나는 그 옷의 출처를 최선을 다해 모른 척했다. 자기 전 씻고 나온 우리는 새 내복으로 갈아입었고, 엄마는 나란히 선 둘을 양팔을 뻗어 꼭 안아주었다. 평소보다 긴 포옹이었다. 엄마의 몸이 조금씩 떨리고 있었다. 내복의 어깨가 축축해지는 게 느껴졌다.

몸의 감각이 서서히 깨어나니 입술 끝자락에서 얼얼함이 느껴졌다. 얼굴을 만져보니 왼쪽 뺨이 살짝 부은 것 같았다. 찬 공기에 입술이 마르니 더 쓰라렸다. 화장실을 가고 싶었던가. 물을 마시고 싶었던가. 잘 기억이 나지 않는다. 이유가 뭐였든 나는 살짝 열린 방문 쪽으로 걸어갔다. 문틈 사이로는 어지러운 거실의 모습이 보였다. 그리고 그 가운데 희미한 엄마의 모습이 보였다. 초록색 병과 그 앞에 놓인 작고 투명한 잔. 그것들과 함께 있는 엄마의 모습은 낯설었다. 엄마는 한 잔을 가득 채워 한 번에 입에 털어 넣은 뒤, 헛구역질하며 싱크대로 달려갔다. 그리고 다시 자리로 돌아와서는 그것을 반복했다. 나는 소리 나지 않게 아주 조용히 문을 닫았다. 내가 엄마를 위해 할 수 있는 건 그것밖에 없었다.

문이 완전히 닫힌 방안은 평소보다 더 고요했다. 다시 이불 속으로 들어가 머리를 바닥에 대고 누우니 천장에 반짝거리는 야광별 스티커가 보였다. 어둠을 무서워하는 우리를 위해 엄마가 붙여준 것이었다. 두 눈을 꼭 감았다. 마치 원래 그 자리에 그렇게 있었던 사람처럼, 아무것도 보지 못한 사람처럼. 눈을 떠보면 내일 아침이기를 간절히 바랐다. 그렇게 시간이 흘렀다. 누군가에게는 아주 짧았던, 누군가에게는 길고도 긴 밤이 지났다. 그리고 눈을 떴을 때, 엄마는 없었다. 아무것도 달라진 건 없었다. '미안해, 딸.' 단 네 글자가 적힌 포스트잇 한 장만이 그녀의 부재를 나타내고 있었다. 나는 그 종이를 꾸겨 쓰레기통에 던져버렸다.

거울 속의 나는 아주 단정하고 깔끔해 보였다. 턱 아래까지 완전히 덮은 얇은 목폴라 위에 그와 대비되는 하얀 셔츠, 검정 스타킹 위에 입은 모직으로 된 무늬 없는 긴 치마. 내 옷 중 가장 깔끔하고 단정한 옷을 골라 입었다. 구겨진 곳을 손으로 펴고 접힌 곳이 없는지 확인하며 계속해서 옷매무새를 다듬었다. 크게 한 번, 그리고 두 번, 심호흡했다. 쉽게 진정이 되지 않았다. 겉옷을 꺼내려 거울 오른편에 있는 장롱 문을 열었다. 오리털이 다 빠져 숨이 죽어버린 짧은 패딩, 주머니가 해져 몇 번이고 꿰매 입은 오래된 코드 한 벌, 그리고 그들과 거리를 둔 가장자리에는 쓸쓸히 걸려있는 짙은 갈색의 코트 하나가 있었다. 3년 전, 한수의 마지막 선물이었다.

"소현아, 우리 나중에 결혼하면 서울 가서 살까?"
내 직장 동료, 연희의 결혼식장에 다녀오며 한수가 한 말이었다. 연희는 결혼식 이후, 남편 따라 서울로 올라가서 살게 됐다며 식장에 꼭 와달라고 당부했다. 웅장한 음악과 함께 아버지의 손을 잡고 등장하는 그녀의 모습은 참 행복해 보였고, 그 모습을 보는 한수는 부러워 보였다. 둘 사이에 낀 나는 마치 벼룩 같았다. 내가 대답이 없자 한수는 아무래도 너무 먼 미래라며, 나중에 생각하자는 말과 함께 특유의 속 좋은 웃음을 터뜨렸다. 잠시 내 눈치를 살피던 그는 뭐가 생각난 듯 매일같이 매고 다니는 큰 스포츠 가방에서 주섬주섬 쇼핑백을 꺼냈다.

"짠. 선물"

"이게 뭐야? 코트? 지금 한여름인데?"

"오늘 너 생일이잖아. 매년 생일이 여름이라 여름 선물만 받았을 거 같아서. 입을 때마다 내 생각도 좀 한 번씩 해주라구."

맞다. 오늘은 내 생일이었다. 여전히 머릿속에는 아까 나눈 대화가 맴돌고 있었다. 결혼. 서울. 내가 이 친구를 계속 잡아두고 있는 건 아닐까? 내가 이런 사람을 가져도 될까? 내 짐은 결국 그에게도 짐이 되지 않을까? 선물이 담긴 내 상체만 한 쇼핑백을 뚫어지게 바라보며 그런 생각들을 하고 있었다. 맞은편에 앉은 한수는 날 보며 해맑은 미소를 짓고 있었고, 통창에서 들어오는 햇살이 그의 얼굴을 그늘 한 점 없이 비춰주었다. 나도 그를 따라 제법 환한 웃음을 지어 보였다. 혹여나 내 생각을 읽을까. 내 그늘을 알아챌까. 최대한 자연스럽게 시선을 아래로 돌려 쓰디쓴 아이스 아메리카노를 한 모금 들이켰다. 액체가 내 목을 지나 가슴을 타고 저 깊이 흘러 들어가는 게 그대로 느껴졌다. 그 도수는 마치 40도를 웃돌았다.

결국 그해 겨울, 나는 그와 헤어졌다. 자신이 뭘 잘못했냐며, 이유가 뭐냐며 묻는 그에게 할 수 있는 말은 딱 한 가지밖에 없었다.

"미안해."

내가 문제였다. 나는 그런 사람과 어울리지 않는다. 한동안 답하지 못한 그의 연락만 쌓여갔다. 그게 내가 할 수 있는 최선의 이별 방식이었다.

눈이 많이 오던 날 밤, 우리 집 앞에서 밤새 기다리는 그를 보았다. 우산도 없이 온몸으로 눈을 맞으며 그는 한참을 그렇게 서 있었다. 그 것이 그의 마지막 모습이었다. 며칠 뒤, 그가 태권도 국가대표에 선발 돼 서울로 떠났다는 소식을 들었다. 그날도 나는 어질러진 집을 치우 고 있었다. 유리컵에 오랫동안 가둬놓은 벼룩은 풀어준 이후에도 그 컵의 높이만큼밖에 뛰지 못한다고 한다. 나는 벼룩이었다.

차갑고 아픈 바람이 살갗을 파고들었다. 두껍게 두른 목도리도 무 용지물이었다. 어릴 적 꽤 붐비던 이 동네는 이제는 더 이상의 발전도 새로운 사람도 없었다. 결혼 후, 자식을 낳은 내 세대의 사람들은 하나 둘씩 이곳을 떠났고, 그때 즈음부터 사람들은 이곳을 구시가지라고 불 렀다. 길게 난 도로를 따라 줄지어 있는 상점들은 불이 꺼진 채 자리만 지키고 있었다. 그 앞으로는 어젯밤 치열하게 오고 간 바퀴의 흔적들 만이 남아있었다.

쭉 뻗은 도로를 따라 발걸음을 옮겨 쓸쓸히 서 있는 버스정류장으로 다가갔다. 바람 소리와 박자를 맞춰 눈을 밟는 선명한 구두 굽 소리만

이 텅 빈 거리에 울려 퍼졌다. 시간표를 확인해보니, 다음 버스는 1시간 뒤 도착 예정이었다. 그마저도 시내까지 한 번에 가는 버스가 아니라, 중간에 다시 이쪽으로 돌아오는 노선이었다. 엄마는 어쩌다 그곳까지 가게 된 걸까. 아니, 어째서 거기까지밖에 가지 못했을까. 온몸에 힘이 빠졌다. 몸을 돌려 의자에 앉았다. 길게 뻗은 도로 끝자락이 보였다.

엄마가 집을 나간 후, 처음에는 그녀가 곧 돌아올 것이라 믿었다. 하지만 한 해가 지나고, 두 해가 지나도 그녀는 오지 않았다. 기다림이 미움으로 바뀌고, 원망의 시간을 거쳐 결국엔 야속한 그리움만 남았다. 매일 밤, 엄마와 함께 찍은 사진을 보며 잠이 들었다. 그녀를 이해하는 데는 오랜 시간이 걸리지 않았다. 나 역시 끝이 안 보이는 이 답답하고 케케묵은 삶에 지쳐 한밤중 몰래 집을 떠난 적도 있었다. 하지만 막상 나서면 몇 걸음 못가 다시 돌아오기를 반복했다.

'내가 떠나면 은수는?'

내 옆에서 곤히 자던 은수의 모습이 눈에 밟혔다. 그녀가 나처럼 되지는 않길 바랐다.

'미안해, 딸.'

엄마의 음성이 귓가에 맴돌았다. 긴 시간 동안 그녀는 내게 그 말만 하고 있었다. 나는 다른 말이 듣고 싶었다. 저 멀리서 택시가 한 대 다가왔다. 고개를 돌려 택시를 바라보니 택시가 서서히 속도를 줄여 내 앞에 멈춰 섰다. 조수석의 창문이 내려가고 아버지 또래 되어 보이는 기사님이 창 쪽으로 몸을 기울이며 물었다.

"아가씨, 오늘 버스 안 올텐디. 어디까지 가요?"

"혹시 한평 성모 병원 가나요?"

기사님의 대답을 기다리는 그 몇 초 사이, 마치 중요한 시험의 합격 여부를 기다리는 사람처럼 심장이 쿵쾅댔다. 그 소리는 너무 커서 내 귀에까지 선명히 들렸다. 알 수 없는 긴장감이 요동쳤다. 몇 분, 아니 몇 시간 같은 몇 초간의 정적이 흘렀다.

"어휴. 거기 너무 멀어서 못 가. 지금 그쪽 가는 길 다 맥혔어~"

기사님은 조수석 창문을 닫으며 자리를 떠났다. 점차 심장박동이 정상적으로 돌아왔고, 깊은 안도의 숨을 내쉬었다. 나는 안심하고 있었다. 택시를 놓쳤음에, 그곳으로 갈 수 없음에, 안도하고 있었다. 얼마의 시간이 흐른 후, 또 한 대의 택시가 내 앞에 와서 섰다. 기사님은 내게 어디로 가냐고 물었다. 나는 어디로 가고 있는 걸까.

"지겹지 않아?"

2년 전, 씩씩대며 방으로 들어온 은수가 말했다.

"뭐가."

"여기서 사는 거. 지긋지긋하지 않아?"

은수는 거친 숨을 몰아쉬며 겉옷을 바닥에 던졌다. 밖은 눈이 내리고 있는 듯, 아직 하얀 형상이 남아 붙어있는 라이더 재킷이 무거운 소리를 내며 떨어졌다. 그리고는 내 앞에 털썩 주저앉아 양말 두 짝을 벗어 아빠 방이 있는 쪽으로 힘껏 집어 던졌다.

"하 진짜 쪽팔려 죽겠어. 맨날 술 먹고 저 지랄하는 거. 아니 아까 재형이랑 가게 앞에 지나가는데 아빠 또 그 안에서 술 먹고 있더라? 나 보자마자 뛰어나오더니 갑자기 머리채를 잡는 거 있지. 나는 시발 여기 잡혀서 끌려 들어오고 걔는 당황해서 어쩔 줄 모르고. 그러더니 또 갑자기 내 뺨을 막 때리는 거야 시발 진짜……. 잠깐 한눈판 사이에 도망갔다가 들어왔는데, 와, 하! 거기서 천하 태평하게 코 골면서 자고 있더라? 하 진짜…존나 아프네…….”

은수는 내 반대편으로 고개를 돌려 머리 뒤쪽을 손으로 만지작댔다. 숨소리가 커지고 손동작은 작아졌다. 바닥에 툭-하고 무언가 떨어졌지만 나는 개고 있던 빨래로 시선을 돌렸다. 가쁜 숨을 몰아쉬는 은수의 숨소리와 1초에 한 번씩 움직이는 시계 소리가 선명히 들렸다. 세상에는 아무리 겪어도 익숙해지지 않는 것들이 있다. 우리에게는 아버지가 그랬다. 나는 은수의 어깨를 감싸주었다. 마르고 작은 어깨가 한 품 안에 들어왔다.

“아 씨 배고파. 언니, 라면 끓여 먹을까? 라면 어딨지?”

은수는 곧바로 부엌으로 달려 나갔다. 성인이 된 은수는 제법 키가 자라 이제 어엿한 숙녀의 모습을 하고 있었다. 한참 찬장을 뒤적거리더니 내 쪽을 향해 못 찾겠다는 듯 양팔을 벌린 제스처를 취해 보였다. 그런 은수를 보고 있자니 절로 미소가 지어졌다. 나는 자리에서 일어나 그녀가 벗어 던진 양말을 주워 빨래통에 넣고, 라이더 재킷을 옷걸이에 걸었다. 장롱 안으로 들어가는 은수의 옷에는 아직 차가운 바깥 내음이 배어있었다. 점점 물이 끓는 소리가 들렸다.

“우리 오랜만에 둘이 오붓~하게 술 한잔할까~? 라면에 쇠주?”

"어이구. 됐네요. 술도 잘 못 마시는 게."

그날 먹은 라면은 유독 깊은 맛이 났다. 내가 맛있다고 칭찬하니 은수는 한껏 올라간 어깨로 '라면 장사나 해 볼까.' 하며 장난을 쳤다.

그날 밤, 은수는 사라졌다. 아침에 일어나보니 그녀의 흔적이 없었다. 가끔 말없이 짧은 가출이나 여행을 하는 일이 종종 있었기에 이번에도 그랬겠거니 생각했다. 그렇게 없어졌다가도 며칠 있으면 다시 언제 떠났냐는 듯 돌아와 그 자리를 메워주던 은수였다. 하지만 이번엔 달랐다. 한 달이 지나고, 일 년이 지나고, 이 년 하고도 육 개월이 지나도 돌아오지 않았다. 어렵게 연락이 닿은 그녀의 남자친구 재형이에게 은수의 소식을 물었을 때, '걱정하지 말라.'는 대답이 내가 알 수 있는 전부였다. 매일 밤 그녀를 기다리다 눈을 감았다. 하루는 현관문을 열고 들어와 갑자기 떠나 미안하다며, 언젠가 크게 성공해서 반드시 다시 돌아올 것이라 말했다. 하지만 눈을 떴을 땐 내 옆에 아무도 없었다. 애꿎은 시계 소리만 공허한 새벽을 채우고 있었다.

은수는 엄마를 많이 닮아있었다. 큰 키에 화장이 잘 어울리는 예쁜 외모, 꾸미는 걸 좋아하는 것부터 술에 약하고 우유를 잘 먹지 못하는 특유의 체질까지. 두 사람 모두 내게 없어서는 안 될 꼭 필요한 존재였다는 것 또한 그랬다. 나는 엄마와 같은 삶을 살아왔지만 다른 선택을 했고, 그녀는 엄마와 다른 삶을 살아왔지만, 같은 선택을 했다. 그들은 현실과 타협하느니, 현실을 벗어나는 쪽을 택했다. 결국 남은 건 나 혼자였다.

택시가 또 한 번 그렇게 떠났다. 입에서 나오는 숨은 나오는 족족 희뿌연 연기로 바뀌고, 이제는 그 소리가 귀를 파고들 만큼 바람이 거세지고 있었다. 손끝과 발끝에는 아무런 감각이 없었다. 손목을 들어 시계를 확인해보니, 집에서 나온 지 한 시간이 조금 넘어가고 있었다. 속이 울렁거렸다. 시간을 돌릴 수 있다면 전화를 받지 않으리라. 빨래를 조금 더 천천히 했더라면, 아니, 밀린 설거지를 조금만 늦게 했더라면, 오후로 미뤘던 장을 오전에 보러 나갔더라면, 그 전화를 받지 않을 수 있지 않았을까. 그랬다면, 오늘을 피할 수 있었을까. 눈앞이 핑 돌았다. 집에 가고 싶었다. 나는 몸을 왼쪽으로 틀어 내가 걸어온 길을 따라 다시 걸었다. 바닥에는 가득 쌓인 눈과 한 시간 전 내 발걸음의 흔적이 고스란히 남아있었다. 그 옆에 새로운 반대 방향의 발자국을 내며, 익숙한 곳으로, 단 한 순간도 떠나지 않았던 그곳으로 걸음을 옮겼다. 조금만 더 가면 코너가 나오고, 그 코너를 돌면 오래된 슈퍼가 하나 있다. 그 슈퍼를 지나 이제는 손님이 끊긴 작은 시계방 옆 검은 철문을 통해 그대로 집에 들어가면 된다. 한 걸음, 두 걸음, 세 걸음……. 눈이 부서지는 소리를 들으며 걷는 내 모습에 엄마의 모습이 겹쳐 보였다. 그 순간 더 이상 발이 떨어지지 않았다. 움직일 수 없었다.

"하……."

잠시 숨을 골랐다. 주머니에 넣은 손에 가죽 지갑의 촉감이 느껴졌다. 그 안에 그녀의 마지막 말이 있었다. 마지막 모습이 있었다. 나는 그것들을 손으로 꽉 쥐었다. 다시 오른쪽으로 몸을 반 바퀴 돌렸다. 이차선도로 건너에 넓은 밭이, 이제는 얼어버린 밭이 펼쳐져 있었다. 눈으로 덮인 황량한 밭과 안개에 가려진 흐릿한 지평선만이 눈앞을 차지했다. 끝이 보이지 않는 도로의 끝자락, 엄마의 모습이 희미하게 보였다. 그때 왼쪽에서 택시가 한 대 다가왔다. 내가 손짓하자 기사님이 차를 세워 조수석 창문을 내렸다. 내 말을 듣고 위치를 검색하던 기사님은 군을 넘어가는 거라 추가 요금이 붙으며, 시간이 꽤 오래 걸린다는 말까지 덧붙였다. 나는 괜찮다는 말과 함께 뒷좌석 문을 열고 택시에 올라탔다. 구두에 붙은 눈이 발판 위로 떨어져 조금씩 물의 형태로 바뀌었다. 앞쪽에서 나오는 따뜻한 바람에 얼어있던 몸이 살짝 풀리는 것이 느껴졌다. 운전석에서 다이얼을 돌리며 주파수를 맞췄다. 지지직거리는 소리와 함께 뉴스가 흘러나왔다.

"……오늘도 역대급 한파가 예상되는데요. 오후에는 눈 소식이 있으니, 운전에 유의하셔야겠습니다. 특히 전북 지방에는 많은 양의 눈이 내릴 것으로 예상되오니, 단단히……."

라디오에서 흘러나오는 기상캐스터의 목소리. 살짝 열어놓은 창문 틈으로 들어오는 따스한 햇살, 김이 모락모락 나는 잡곡밥을 한술 뜨면 그 위에 살포시 얹어지는 손으로 잘게 찢은 김치 한 조각. 양념이 묻은 엄지와 검지를 쪽쪽 빨며 라디오에 귀를 기울이던 엄마의 얼굴. 눈이 많이 내린다는 소식에 '우리 학교 끝나고 같이 눈사람 만들까?'라고 말하던 엄마의 고운 목소리. 한쪽 방에서는 은수가 코 고는 소리가 들리고, 다른 쪽 방에는 아무도 없다. 평화롭다. 시간이 이대로 멈춰버렸으면 좋겠다. 여덟 살, 나는 꿈이 있었다. 신나게 '응!'하며 대답하는 목소리와 귀엽다는 듯 내 볼을 살짝 꼬집는 엄마의 웃음소리가 들린다. 그리고, 그것들이 서서히 희미해진다. 엄마의 얼굴이 일그러진다. 마치 물감을 풀어놓은 듯 모든 장면이 흩어진다. 햇빛이 사라지고, 어느새 검은 어둠만이 집 안을 감싸고 있다. 따뜻한 밥의 온기와 선선한 아침 공기 대신 케케묵은 담배 냄새와 온몸으로 느껴지는 찬기만이 집 안을 메운다.

깜빡 잠이 들었나 보다. 목에 담이 왔는지 목뒤가 뻐근하고 팔이 저린 느낌이 들었다. 어젯밤, 은수가 집에 들어오지 않았다. 전에도 가끔 새벽에 들어온 적은 있었지만, 아예 이틀을 꽉 채워 집을 비운 건 처음이다. 무슨 일이 생긴 건 아닐까. 걱정과 불안이 한 번에 엄습했다. 겹쳐있던 팔을 풀며 상체를 일으켰다. 혹시나 연락이 왔을까 휴대폰을 확인하지만, 전날 저녁에 도착한 '언니 나 외박.'이라고 보낸 문자만 얄밉게 적혀있다. 어제는 학교에서 하는 나머지 공부 때문에 늦게 온다고 적당히 둘러댔지만, 오늘은 일요일이다.

현관문이 열리는 소리와 함께 아버지가 들어왔다. 강한 알코올 냄새가 코를 찔렀다. 그가 손에 든 검은 비닐 속에서 짤랑거리는 소리가 들렸다. 아버지는 티비를 켜며 거실 중앙에 놓인 소파에 앉았다. 저녁 9시 뉴스의 막바지 기사가 흘러나오고 있었다.

"야 박소현, 라면 좀 끓여 와."

아버지는 봉지에서 초록 병을 하나 꺼내 뚜껑을 깐 뒤, 병째로 입에 가져다 댔다. 꿀떡, 꿀떡 술이 목으로 넘어가는 소리가 들렸다. 냄비에 물을 올리고 가스레인지를 켜니 불이 붙었다. 티비에서는 저녁 9시

뉴스의 끝자락, 날씨 예보가 나오고 있었다. 조금 있으니 크고 작은 거품을 내며 냄비 속 물이 부글부글 끓었다. 스프를 넣으니 더 크게 물이 끓어올랐고, 면을 넣으니 그것이 조금 가라앉았다. 하지만 잠시뿐, 다시 모든 게 한 번에 더 큰 소리를 내며 끓어오르기 시작했다.

라면을 큰 그릇에 담아 아버지께 가져다드리고 나는 최대한 존재감을 드러내지 않으려 숨죽여 걸음을 옮겼다. 거실에서 방까지가 이렇게 멀었었나. 은수는 아직 연락이 없었다. 휴대폰을 쥔 손이 내 의지와는 상관없이 떨렸다. 방문 앞에 다다른 나는 내 몸이 통과할 수 있을 정도로만 작게 틈을 벌렸다. 그때, 등 뒤에서 아버지의 목소리가 들렸다. 몸의 모든 감각이 멈췄다. 머릿속에 수십 가지 생각이 지나갔다. 뒤통수에 아버지의 따가운 시선이 느껴졌다. 심장이 쿵쾅댔다. 마른침을 한번 삼키고 애써 아무렇지 않은 척 힘겹게 고개를 돌렸다.

"넌 자러 가면서 인사도 안 하냐?"

나도 모르게 입 밖으로 안도의 숨이 흘러나왔다. 티 내지 않으려 더 과장된 몸짓과 함께 안녕히 주무시라며 고개를 숙였다. 아버지는 '버르장머리하고는. 쯧.'하며 다시 티비로 시선을 돌렸다. 젓가락에 꽂힌 라면이 아버지의 입속으로 뿌연 김을 내뿜으며 들어가고 있었다. 나는 소리 나지 않게 방문을 닫았다. 온몸에 한기가 느껴졌다. 바짝 열이 올라 있던 몸에서 한 번에 숨이 빠져나간 탓이었다. 바닥에 깔아 놓은 이불 밑으로 다리를 집어넣고 붙박이장에 등을 기대니 온기가 다리를 타고 올라왔다. 휴대폰을 켜 은수에게 문자를 보내기 시작했다. 전화도 여러 번 했지만 무용지물이었다. 야속한 통화연결음만이 스피커를 통해 흘러나왔다.

꿈을 이루는 건 오래 걸려도, 잃는 건 한순간이다. 소파에서 그대로 잠든 아버지는 은수가 오는 현관문 소리를 들었다. 모든 채널이 끊긴 시간, 티비 화면에서 나오는 파란색 불빛만이 두 사람을 비추고 있었다. 아버지는 교복 차림인 은수에게 어딜 다녀왔냐고 물었고, 그녀는 거짓말을 잘하지 못했다. 게다가 맞은 편에 선 그는 자신의 화를 주체할 수 있는 사람이 아니었다. 시끄러운 소리에 잠에서 깬 나는 곧바로 거실로 뛰쳐나갔다. 나는 이성을 잃은 그의 팔을 붙잡고 말리다 가슴을 강하게 맞고 나가떨어졌다. '컥'하는 소리와 함께 입에서 피 비린 맛이 났다. 은수는 아버지에게 그만하라며 소리를 질렀고, 그는 우리를 모아놓고 발길질을 시작했다. 그 지옥의 시간은 밤중에 시끄러워 찾아온 이웃 주민이 경찰에 신고하겠다며 문을 두드리고 나서야 겨우 멈췄다. 씩씩대며 방으로 들어간 아버지와 나를 보며 미안하다며 울고 있는 은수가 보였다. 점차 눈앞이 흐릿해졌다.

밤새도록 계속되는 기침에 목 안쪽에서 통증이 이어졌고, 동이 트자마자 동네 작은 병원으로 향했다. 창밖으로는 새하얀 눈발이 흩날리고 있었다. 올해 첫눈이었다. 의사는 내게 피가 역류하면서 목 안쪽에 상처가 생겨 이대로면 앞으로 말할 때나 큰 소리를 낼 때 불편함이 있을 수 있다며 큰 병원으로 가 수술하길 권했다. 나는 그대로 걸음을 돌릴 수밖에 없었다. 집에 돌아오는 길, 버스에서 틀어놓은 라디오에서는 기상캐스터의 목소리가 흘러나왔다.

"어느새 겨울의 문턱 절기 입동인데요, 주말 내내 돌풍을 동반한 서리가 내리면서 오늘부터는 기온이 뚝 떨어지겠습니다……."

"……다 왔어요~"

기사님의 목소리가 나를 현실로 데려다 놓았다. 눈앞에는 뿌옇게 김이 서린 창문이 있었다. 손바닥으로 한번 문지르니 어느덧 하얀 건물이 보였다. 그 앞으로는 하얀 가운을 입은 사람들이 바쁘게 움직이고 있었다. 결국 왔구나. 기사님이 나를 재촉했다. 정신이 든 나는 뒷좌석 문을 열고 오른발부터 차례로 꺼내놓았다. 고개를 한참 들어야 꼭대기 층이 보일 만큼 크고 높은 건물들이 사방으로 나를 가두고 있었다.

"아가씨! 돈!"

나는 급하게 주머니에서 지갑을 꺼내 펼쳤다. 환하게 웃고 있는 젊은 엄마와 여섯 살의 천진난만한 나의 모습이 보였다. 테두리가 헤져 있는 오래된 사진 속에서는 짙은 화장을 하고 한껏 멋을 낸 엄마가 내 어깨에 손을 올리고 있었고, 앞에 선 아이는 한 손에 풍선을 들고 밝게 웃고 있었다. 이제는 누렇게 바래 풍선의 색은 잘 보이지 않았지만, 엄마의 입술을 유독 빨갰던 것으로 기억한다. 뒤에는 오래된 회전목마가 돌아가고 있었다. 어쩌다 여기까지 와버린 걸까. 우린 어쩌다 이렇게 됐을까. 기사님이 또 한 번 액수를 부르며 재촉했다. 지갑에서 초록색 지폐를 여러 장 꺼내 기사님께 건네며 문을 닫았다.

병원은 생각보다 규모가 있었다. 똑같은 건물들이 연속적으로 나열되어 있어 어디가 어딘지 구분하기가 어려웠다. 한참을 헤매다 결국 안내데스크로 가 위치를 물었다. 데스크에 앉아있는 사람은 '영안실'이라는 단어만 듣고는 뒷말을 자르며 형식적으로 위치를 안내했다. 손끝이 향하는 곳으로 가 보니, 작은 건물이 여러 개 있었다. 그 주위를 조금 더 맴돌고 나서야 겨우 영안실로 들어가는 입구를 찾을 수 있었다. 건물 중에서도 유독 외진 곳에 덩그러니 있어 그 자체로 참 외로워 보였다. 건물 안쪽으로 들어가니 갑작스러운 한기가 느껴져 옷을 여몄다. 복도 중앙에는 하얀 가운을 입은 근무자가 홀로 앉아있었다. 맞은편에 선 나를 본 그는 시신의 이름과 관계, 그리고 나의 이름을 물으며 한손을 내밀었다. 나는 지갑에서 꺼낸 신분증을 그의 손에 얹으며 말했다.

"이은영이요. 경찰 연락받고 왔습니다."

그는 가지고 있던 서류를 몇 장 넘기더니 손가락으로 리스트를 짚으며 그 이름을 찾았고, 곧이어 자리에서 일어나 나를 복도 끝 계단으로 안내했다. 그의 행동에는 한 치의 망설임도 없었다. 이곳에서 근무하면 나와 같은 사람을 수도 없이 만나봤을 터였다. 그에게서 그 특유의 익숙함과 권태가 풍겼다.

복도와 계단을 구분하는 크고 무거운 철문을 밀고 들어가 손을 놓으니 뒤에서 '쾅'하고 문이 닫히는 소리가 났다. 그곳에서는 모든 소리가 지나치게 크게 울렸다. 따로 노는 두 개의 발소리와 그것들의 울림들이 겹쳐 마치 여럿이서 한 번에 계단을 내려가는 것 같았다. 걸음을 옮길 때마다 발목에 모래주머니를 찬 듯, 한 발, 한 발 내딛는 게 평소보다 배로 힘들었다. 이윽고 토할 것 같은 울렁거림이 단전에서 올라왔다. 점차 낮아지는 온도에 몸이 털을 쭈뼛 세우며 반응했고, 위아래 이빨이 서로 부딪히며 떨렸다. 이 떨림은 비단 추위뿐만은 아닌 것 같았다. 내 속도가 현저히 느린 탓에 안내자와의 거리가 갈수록 벌어지고 있었다. 꽤 오랜 시간이 흘렀다고 생각했는데, 도착한 곳의 입구 벽면에는 고작 'B2'라는 숫자가 적혀있었다. 겨우 두 층을 내려왔을 뿐인데, 나는 끝이 보이지 않는 바다 끝, 심연으로 가라앉은 듯한 기분이 들었다. 겨우 두 층을 내려왔을 뿐인데.

다시 철문 안으로 들어서니 하얀색 벽면 사이 하얀색 문들이 양쪽으로 줄지어 있었다. 복도 중앙에는 형사로 보이는 두 사람이 수첩을 들고 서 있었다. 안내자는 그들에게 다가가 목인사를 하며 뒤따라오던 나를 소개했다. 비슷하게 생긴 검은색 가죽점퍼를 입은 형사들이 각자 이름을 말하며 손을 내밀었다. 나는 반사적으로 그들의 손을 마주 잡았다. 뒤쪽에 있는 형사는 마르고 키가 큰 체형이었고, 앞쪽에 선 형사는 덩치가 있어 말할 때마다 목소리가 굵고 낮게 깔렸다. 그것은 오늘 아침, 수화기 너머로 들린 음성과 같은 것이었다. 자연스레 그때가 떠올랐다. 세탁기 소리, 낡은 장판, 그 위를 뛰다니던 벼룩, 그것을 가둔 아버지의 유리잔, 바닥이 보인 밥솥, 볶아진 소고기의 향과 물 위로 둥둥 떠다니던 죽은 미역과 기름덩어리까지. 이제 다시는 돌아갈 수 없는 그때가. 어쩌면 그녀의 죽음을 알지 못한 게 더 나았을지도 모르는 일이었다.

그들은 오늘 새벽 일어난 교통사고에 대해 수사 중이라고 했다. 인적이 드문 이차선도로에서 발생한 사고였다. 사고 시각은 새벽 2시에서 3시 사이. 워낙 어둡고 인도가 따로 없어 사람은커녕 차들조차 잘 다니지 않는 도로에서 누군가의 신고로 발견된 엄마는 근처 병원인 이곳으로 이송되었고, 결국 오늘 아침 세상을 떠났다. 왜 그곳에 있었는지, 어쩌다 그곳까지 가게 되었는지는 당사자를 제외하고 아무도 알지 못했다.

건네받은 엄마의 물품은 단 두 개였다. 낡은 지갑과 다 써서 이제는 속이 텅 비어있는 립스틱 하나. 가죽이 다 벗겨져 이제는 색이 희미한 검정 지갑 속에는 천 원짜리 두 장과 엄마의 옛 얼굴이 담긴 신분증만 맥없이 남아있었다. 경찰은 근처 CCTV를 계속해서 보고 있지만, 정작 사고가 난 곳은 카메라가 없어 사고 차량을 찾는 데 어려움을 겪고 있다며 조금만 기다려달라고 말했다. 누가 그랬든 그게 뭐가 중요할까. 설사 찾는다 한들 이제는 그게 무슨 의미가 있을까. 그런 건 이제 아무런 소용이 없었다. 무거운 정적이 흘렀다. 예의상 아무 말이나 내뱉어보려 했지만 그게 잘 안됐다. 사실 그들의 말은 대부분 귀를 잠시 스쳐 지나갈 뿐이었다.

대사를 다 마친 두 사람은 오른쪽 문을 가리키며 들어가라는 손짓을 했다. 그러자 내 왼쪽에 서있던 안내자는 들어가기 전 절차가 있다며 내게 들고 있던 서류를 내밀었다. 그곳에는 검은 선으로 나눠진 수많은 사람 틈에 낀 엄마의 이름과 주민등록번호가 적혀있었고, 그의 손가락이 가리키는 곳에는 보호자 서명란과 사망한 사람과의 관계를 적는 칸이 있었다. 그가 가운 주머니에 꽂혀있던 펜을 꺼내 건넸다. 나는 좁디좁은 칸에 펜촉을 대고 내 이름 석 자를 적었다. 펜 끝이 미세하게 떨렸다. 생각하고 있었다. 나와 그녀의 관계에 대해서. 속에서 무언가 뜨거운 게 올라왔다. 무언가 끓어오르고 있었다. 애써 그 액체를 가두려 입술을 꽉 깨물었다. 종이에는 꾹 눌러 적은 한 글자가 남았다.

방 안의 공기는 차갑다 못해 추웠다. 가운데 놓인 철제 침대 위에는 하얀 천을 덮은 사람의 형체가 보였다. 그녀는 아마 내 엄마일 터였다. 나는 한 발 앞으로 다가갔다. 천과 침대 사이로 희미하게 엄마의 손이 보였다. 손톱 사이에는 검은 때가 껴있었고, 손등은 자글자글한 주름과 작은 상처들로 가득 차 있었다. 그리고 그것들은 모두 굳어 있었다.

누군가의 손에 의해 흰 천이 내려가고 엄마의 얼굴이 보였다. 순간, 내 의지와는 반대로 숨이 멈췄다. 가슴이 턱 막히며 아무 말도 할 수가 없었다.

"박소현 씨 어머니, 이은영 씨 맞으신가요?"

아니다. 저 사람은 우리 엄마가 아니다. 우리 엄마일 리가 없다……. 믿기 힘든 형상이 내 눈앞에 자리하고 있었다. 발을 끌다시피 한 걸음 다가가니 그녀가 더 자세히 보였다. 얼굴 곳곳에는 사고 이후에 생긴 건지 이전에 생긴 건지 모를 멍자국들이 곰팡이처럼 자리 잡고 있었고, 아무렇게나 패인 주름은 그녀가 살아온 삶을 거칠게 조각해둔 것처럼 보였다. 꽤 오랫동안 그래왔던 듯 하얗게 새 탁한 회색빛만 돌고 있는 머리카락은 윤기랄 것은 단 하나도 찾아볼 수 없었다. 그녀에게 남은 색채는 아무것도 없었다.

나는 듣고 싶은 말이 있었다. 다 괜찮다고. 그동안 수고 많았다고. 나와 같은 삶을 살았던, 하지만 다른 선택을 했던 엄마에게 내 선택이

틀리지 않았다고 인정받고 싶었다. 아니, 이해받고 싶었다. 세상에 단한 사람, 서로를 진정으로 이해할 수 있는 사람은 오직 우리 둘뿐이라고 생각했다. 하지만 이제 더 이상 나를 위로해줄 사람은 없다. 나를 걱정해줄 사람은 없다. 환하게 빛나던 우리는 집이라는 그늘 아래 서서히 그 빛을 잃어갔고, 벗어나려 애썼지만 끝내 모든 빛을 완전히 잃었다. 엄마도 결국 벼룩이었다.

　창밖에는 함박눈이 내리고 있다. 깜깜한 밤의 검은 배경과 대비되어 내리는 눈의 입자가 더욱 잘 보인다. 이어진 창문들을 지나쳐 건물 입구에 다다르니 자동문이 기계음 소리를 내며 바깥 공기를 들여온다. 입에서 나온 뿌연 연기가 그 속으로 섞여 바람을 타고 날아간다. 미동 없는 형체에 다시 문이 자동으로 닫힌다. 오른손에 든 휴대폰 화면에는 '은수'라는 이름과 함께 열 개의 숫자를 세 뭉텅이로 구분 지어놓은 형태의 번호가 적혀있다.

　"십이월, 이십이."

　오늘의 날짜를 소리 내어 읊어본다. 입술이 좌우로 벌어지며 자연스레 웃는 형상을 띠었다. 매년 이맘때가 생일인 은수는 날짜를 말할 때마다 웃게 되는 것 같아 좋다며, '이~'하고 환하게 웃었다. 나는 그대로 오른쪽 버튼을 길게 눌러 전원을 끈다. 이곳저곳 금이 간 검은 화면 속 내 얼굴이 보인다. 초점 없는 눈동자와 생기 잃은 피부, 희망이랄 건 하나 없는 삭막함을 마주한다. 그 모습을 주머니에 넣는다. 그와 맞닿은 가죽 지갑이 손에 걸린다. 그 안에는 어김없이 환하고 맑은 미소의 엄마가 있을 것이다. 그리고 그 뒤로 손가락을 넣으면 반으로 접힌 누런색 포스트잇이 한 장 있다. 손끝에 닳아버린 종이의 촉감이 느껴진다.

　'괜찮아, 우리 딸.'

　엄마의 목소리다. 나는 눈을 감는다. 아무것도 보이지 않는다. 검은 화면이 눈 앞을 가린다.[1]

물방울 속인지도 몰라

최효나

최효나　순간에 집착하고 그 순간을 적어 내려가는 걸 좋아한다. 모든 행동에는
감정이 따른다고 믿는다. 자주 울며 글을 쓴다. 하지만 영원히 글을 내려
놓지 못할 것이라고 생각한다.

입 안에서 사탕을 도로록 한 번 굴리고 신발을 고쳐 신었다. 아무도 없는 빈집에 꾸벅 한 번 인사를 하고 캐리어 붙잡고 골목을 지나 언덕 아래로 향했다. 집에 올 때만 해도 옷 몇 가지만 남아 바퀴가 휙휙 돌아갈 정도로 가볍기만 했던 캐리어가 조금씩 나눠 담긴 제사음식으로 가득 차 이젠 바퀴가 돌아가지 않을 지경이었다.

높지 않은 언덕이면서 마을 전체가 반쯤 비스듬히 보이는 이 언덕도 이제 마지막일 것이다. 아버지께서 돌아가신 이래로 야간 공장을 다니시던 어머니의 몸이 이젠 상할 대로 상해 더 이상 일을 나가지 못할 지경에 이르렀고 겨울이 오기 전에 어머니를 서울의 내 자취방으로 모셔 가기로 했으니 말이다. 이제야 여름에서 가을로 넘어온 초입이면서 날씨가 왜 이리 쌀쌀한지 갑자기 불어온 바람에 팔뚝이 시렸다. 혹시 몰라 챙겨온 얇은 가디건이 생각나 길목에 놓인 나무에 캐리어를 기대어 윗 지퍼를 열었다. 그리곤 손을 넣어 가디건이 손에 잡힐 때까지 휘휘 저었다. 여러 반찬통이 자기들끼리 몸을 부딪치며 통통 거리는 사이 폭신한 감촉이 손끝에 닿았다. 분명 가디건이 아니고선 느낄 수 없는 감촉이라는 확신과 함께 억지로 욱여넣은 손을 뺐다. 그리곤 예상과 다를 바 없이 손에 쥐어진 밤색의 가디건을 입었다. 캐리어의 지퍼를 닫고 아직 한참 남은 언덕길에 한 번 바라보고는 기지개를 켰다.

오후 4시쯤 됐을까, 딱, 푸른색에 검정 한 방울, 붉은 재를 사알짝 뿌린 것만 같은 하늘이었다. 구름도, 그 흔한 새도 없는 그런 하늘. 자주 하늘을 쳐다보진 않았지만 그러고 보면 자주 이랬던 것 같다. 구름 하나 없는, 혹여 있더라도 구름은 떠다니지 않는 온전한 것이라는 착각이 들 정도로 찰랑임이 없는 가득 찬 컵만 같은 하늘이었다. 이곳은 아무리 지방의 작은 도시라지만 차 경적 소리도 들리지 않았다.

툭. 밤색의 가디건 위에 더 짙은 작은 원이 생겼다. 오늘 새벽에 비가 온 것 같던데 아무래도 그사이 젖었던 잎들이 아직 마르지 않은 것 같다. 머리 위 잎새들 사이에서 빗방울이 떨어졌다. 그러고 보니 떨어지는 잎들을 누군가 모아 놓은 모양이다. 캐리어 옆으로 둥근 산처럼 색이 바랜 잎들이 모아져 있고 둥근 잎들 안으로 작은 물웅덩이가 고여 있었다. 뚝. 오른쪽 어깨 옆으로 방울 하나가 또 떨어졌다. 그리곤 물웅덩이 중 하나에 뛰어들어 잔물결을 일으켰다. 그리고 또, 뚝. 또, 뚝. 둥근 점이 떨어져 스스로를 갈라 사방으로 흩어진다. 흩어진 잔해들은 다시는 만나지 못하고 서로 등진 채 멀어진다.

아, 또 시작이다. 심호흡 한 숨에 눈을 지긋이 한번 감았다 떴다. 그리고 도로록 입안의 사탕을 또 한번 굴렸다. 괜찮다. 나는 살아있어. 내가 굴리는 대로 사탕이 굴러가니까.

주변에서 걱정할 정도로 사탕을 입에 달고 다니게 된 건 그 아이 때문이었다. 늦은 겨울, 또 늦은 밤, 때아닌 비가 내렸다. 밤 10시부터 시작된 비는 야자가 끝나는 12시까지 쉬지 않았다. 온 세상이 물빛이었다. 아지랑이가 피지 않는다는 걸 알면서 빗 사이로 반사된 운동장 조명들 때문에 미처 착각이 들 정도였다. 책가방을 메고 1층 현관으로 내려와 운동화로 갈아신을까 잠시 고민을 하다 그만두고 양말을 벗었다. 어차피 우산이 없어 온몸으로 찬비를 맞아야 하는데 차마 운동화까지 적실 수는 없었다. 혹시나 빗물에 미끄러질까 실내화를 단단히 고쳐 신고 운동화를 가방에 넣었다. 그리곤 젖지 않게 온몸으로 감싸 안고 빗속으로 걸어 들어갔다.

이상한 비였다. 아니, 이상한 밤이었다. 이상하리만큼 고요했다. 혹여 비가 그칠까 멀뚱히 기다리다 느즈막이 교실에서 빠져나오긴 했지만, 그 수많은 학생들이 일제히 사라지기라도 한 듯이 고요한 풍경이었다. 그저 곤두박질치는 타악만이 들렸다.

하늘에서 떨어진 빗물이 새어 들어가 가뜩이나 무거운 패딩이 어깨를 더 짓눌렀다. 알 수 없었다. 평소라면 견딜 수 있을 정도의 무게 같은데 왜 이렇게 어깨가 떨어져 나갈 듯 아픈 건지. 왜 나는 이 아픔에 눈물이 나려 하는 건지.

"살려주세요."

제발 살려주세요. 나도 모르게 입 밖으로 튀어나왔다. 빗소리에 묻힐 정도로 작은 목소리였지만 나는 그렇게 말했다. 어깨가 아프니 살려달라, 이 비를 멈춰달라, 그렇게 터져 나왔다. 결국 가던 길을 멈춰서 주저앉았다.

"도망갈까?"

그때 낯선 음성이 등 뒤로 들려왔다. 고개를 돌려 쳐다보니 나와 비슷하면서도 다른 옷을 입고 있는 그 아이가 있었다. 그 아이는 투명한 우산을 쓴 채로 나에게 손을 내밀었다. 생각해 보면 살려달라는 말에 도망갈까라는 답이 아이러니하기만 한데 그때 나는 그것을 눈치채지 못했다. 그냥 그 아이의 손을 잡으며 외쳤다. 응. 응. 제발.

그 아이는 비에 홀딱 젖은 나에게 그럴 필요가 없음에도 우산을 씌어 주었다. 그 우산이 너무도 따스해 엉엉 울었다. 그 아이는 찜찜할 텐데도 나를 안아 주었고 등을 토닥여 주었다. 나는 왜 물방울 속인 거냐고 그 아이는 알 수 없는 말을 했다. 그런데도 가만히, 여전히 나를 안아주었다.

야간 버스를 타고 한 시간 떨어진 바다에 갔다. 가는 길에 쉬지 않고 내릴 것만 같았던 비가 그쳤고 비가 그친 한참 후까지 아이는 내 손을 놓지 않았다.

깜깜한 바다가 눈앞에 펼쳐졌다. 등대 하나 없이 광활하기만 한 이곳이 나는 너무도 편안했다. 한참을 모래 위에 앉아 보이지 않는 것을 바라보았다. 그러다 터져 나왔던 것들이 잠잠해질 때 입을 뗐다.

"있잖아, 사실 나 말도 안 되는 생각을 해. 아니, 생각이 아니라 확신일지도 몰라."

고개를 돌려 아이를 바라보았다. 그리고 그제야 그 아이 왼쪽 가슴에 놓인 명찰이 보였다. 이우연. 어디선가 많이 들어본 것 같은데 고쳐 생각할 힘은 없었다. 우연이는 내 말에 어떠한 동요도 하지 않아 보였다. 그 흔한 '그래?', '어떤 생각인데?'하는 답 또한 우연이는 하지 않았다.

한참을 또다시 말없이 바다만 바라보았다. 시간이 얼마나 흘렀는지 잴 수 없을 만큼이 지났을 때, 잿빛 하늘이 떴다.

"사실 나는 물방울 속에 살고 있어. 처음부터는 아니었던 것 같아. 그런데 어느 순간 물방울 속에 갇히게 되었어. 아마 벌인가봐.

내가 10살 때, 아버지께서 돌아가셨어. 스스로 마감한 생이셨어. 지금 생각해 보면 의외는 아니었던 것 같아. 내가 떠올릴 수 있는 모든 아버지의 모습은 아무런 표정도 짓지 않으신 채 방문을 등지고 누워 계신 모습이었거든. 남들에겐 흔한 가족 여행 같은 거 말야. 놀이동산이나 캠핑 같은. 나는 그런 추억이 없어. 그래서일까 나한테 있어서 아버지는 종이 한 장 같았어. 얇디얇은 그 종이 한 장. 있어도, 없어도 큰 차이가 없는 그런 종이 한 장. 그래서 장례식에 놓인 아버지의 사진을 볼 때도 하나도 슬프지 않았다? 그 삼일동안 나는 울지도 않고 무표정으로 아버지의 단면을 쳐다보기만 했어. 그래서 그런가 봐. 아버지께서 그렇게 가셨는데 눈물 하나 흘리지 않아서 내가 벌을 받게 된 건가 봐.

자주 모든 게 아지랑이처럼 보여. 물속에서 물 밖을 보는 것처럼 모든 게 일렁여 보여. 두 손도, 이 땅을 밟고 있는 두 발도. 자꾸 멀어지고 가까워지길 반복해. 손을 쭉 펴고 손끝까지의 거리를 가늠하는 게 습관이 되었어. 오늘은 다섯 뻠, 내일은 여섯 뻠, 그다음은 세 뻠.

이거 보여? 내 다리에 상처 말이야. 화상자국이야. 무릎 쪽에 길게 그인 화상은 교복을 다리다, 발목 쪽에 동그란 화상은 요리하다 냄비를 떨어뜨려서. 근데 별로 아프지 않았어. 신기하지? 원래 화상은 쓰라려 고통스러운 게 당연하잖아. 근데 괜찮았어. 견딜만했어. 이상하리만큼 고통을 느끼지 못하는 것도 그때부터야. 고통뿐만이 아니야. 쓰고 단 것도, 기쁨도 화도, 나는 너무도 둔해져 버렸어.

아주 가끔이긴 한데 어떤 소리는 물 위에 퍼져 일렁이는 것처럼 들릴 때도 있어. 아버지께서 돌아가시고 나서 어른들이 나만 보면 그런 말씀을 하시더라고

"괜찮을 거야."

나는 아무렇지 않았는데 모두 왜 그런 말을 하는 지. 나는 정말 괜찮은데 말이야. 근데 그 말을 들으면 몇 분을 귓가에 울리는 거야. 종소리가 울리는 것처럼. 그래서 아무래도 나는 물방울 속인 것 같아. 그게 아니면 이 모든 게 설명될 리가 없잖아."

그때 우연이가 아무 말 이 손바닥을 내밀었다. 그리고 자연스레 그 손바닥 위에 내 손을 올렸다. 그리고 우연이는 아주 소중한 것을 다루는 것처럼 조심스레 내 손을 붙잡았다.

"넌 물방울 속이 아니야. 너는 숨을 쉬고 내 손을 만질 수 있고 내 목소리를 들을 수 있어. 너는 살아있어."

"그건 그렇지. 하지만……"

우연이는 나를 잡지 않은 손으로 주머니를 뒤적거리더니 작은 비닐

소리와 함께 무언가를 꺼냈다. 주황색 오렌지가 그려진 사탕이었다. 그리곤 내 손을 모래 위에 살짝 내려놓고 사탕을 뜯어 내 입에 넣어주었다.

"잘 들어, 사탕을 입에서 도로록 굴리면 그 순간만큼은 살아있다는 거야. 사탕이 네가 굴리는 대로 굴러가잖아."

그 순간 나도 모르게 입안에 사탕을 굴렸고 코끝에 닿을 정도로 오렌지 향이 훅 불어왔다. 입에 넣은 처음보다 더 달고, 더 신맛이 났다.

우리는 쉬지 않고 이야기를 나누었다. 그 아이의 이름이 익숙했던 이유가 학교 앞 우연 슈퍼 집의 아들이었기 때문이라거나, 우연이의 유일한 취미가 유명하지 않은 사연 라디오를 듣는 것이라거나, 그런 소소한 이야기를 나누었다. 비 냄새가 나긴 했지만, 젖은 옷은 이미 바닷바람에 마른 지 오래였다. 달라붙었던 옷 안으로 짠 바람이 스쳐갔다.

"첫 차 출발하겠다. 이제 갈까?"

우연이는 엉덩이에 붙은 모래를 털며 일어섰다. 그리곤 나에게 손을 내밀며 말했다. 돌아가자. 원래 있었던 곳으로. 나는 그 손을 꼭 잡고 일어섰다. 그래, 가자. 그렇게 대답했다.

늦지 않게 학교에 도착해 어김없이 평소와 같은 하루가 반복되었다. 밤을 샌 덕에 피곤하긴 했지만 이보다 선명한 날은 없었다. 짧았다면 짧은 그 순간들 이후 나는 우연이와 어떠한 대화도, 연락도 하지 않았다. 급식실이라던가, 복도 같은 곳에서 몇 번 마주치긴 했지만, 내가 먼저 고개를 피했다. 매일 같이 꿈같던 그날을 그리는 나를 알아챌까 창피해서, 그 아인 그저 지나가는 하루일 수 있는데 내게만 빛나는 시간이었을까 봐서, 그래서 차라리 그대로 두는 것을 택한 것이었다. 학사모를 쓰고 꽃다발을 받고 졸업장을 손에 든 그 순간까지, 나는 그렇게 하는 것을 선택했다.

집으로 가기 위해 버스 정류장에 앉아있었다. 저기 길 건너편 정거장 앞에서 손을 잡고 야간 버스를 기다렸던 둘이 그려졌다. 퉁퉁 부은 두 눈으로 이리저리 그 아이의 눈치를 살피던 내가 보였다. 모르는 이 앞에서 펑펑 울고 알 수 없는 말을 내뱉었던 스스로가 창피해 발그레진 두 볼이 느껴졌다. 저 멀리서 커다란 소음이 들렸다. 그리고 이내 내 앞에 멈춰 섰다. 문이 열리고 커다란 캐리어를 낑낑대며 나는 버스에 몸을 실었다. 자리에 앉아 창문 밖을 바라보았다. 이제 이곳에 올 일은 없을 수도 있겠다는 생각이 드니 어쩐지 마음이 아렸다. 그래도 마지막 인사 정도는 괜찮을지도 몰라. 그렇게 핸드폰을 꺼내 무언가를 적기 시작했다.

"오늘의 마지막 사연입니다.

안녕 나야, 잘 지내니? 나는 잘 지내. 아니, 여전해. 나는 물방울 속에 갇혀 있어. 하지만 예전처럼 괴롭진 않아. 네가 불어준 공기 방울이 아직 남아있거든. 그래서 버틸 수 있는 것 같아. 네가 그랬잖아. 이 라디오을 듣는 게 너의 유일한 취미라고 그래서 궁금할진 모르겠지만 나를 남겨봐. 연락처 같은 흔적은 남기지 않을게. 그때가 눈이 부시게 남아있는 게 시간에 바래서였는지, 아니면 너 때문이었는지는 모르겠지만 나한텐 아직도 너무도 빛나거든. 그러니 이렇게 남아있자."

몽키스패너

김태인

김태인   "생각만 해서는 아무것도 할 수 없다. 생각 뒤에 행동이 이어져야 한다."
요즘 작가가 마음 품고 사는 말이다. 소극적이고 생각만 많았던 작가는
군대와 코로나 시기에 여러 일을 겪으면서 심리와 사람의 본성에 대한
책을 읽고 생각하게 된다. 이 말을 실천하기 위해 요즘에는 노래와 글 쓰
기를 하는 등 많은 것들을 시도하고 있다.

20년은 된 듯한 벽돌 건물 안에서 병사와 간부가 도열해 있다. 오늘은 병사들의 전역식이 있는 날이다. 하진 또한 오늘 전역을 한다. 그의 입꼬리는 한결같이 올라가 있다. 대대장 앞이라 진지한 표정을 지으려 노력하지만, 생각보다 쉽게 되지 않는다. 뭐 사실 좀 있으면 아저씨가 되니 크게 상관은 없다. 매일 지겹고 삭막해 보이던 건물들도 오늘은 뭔가 운치 있어 보인다. 딱딱해 보이던 회색 벽은 사실 빈티지 매력을 한껏 뽐내고 있는 인스타 감성을 가지고 있는 벽이었고, 모서리가 다 헤진 나무 탁자는 역사를 간직한 유물이었다. 오늘만큼은 그렇게 보였다. 대대장 주도하에 전역식을 하고 마지막 소감을 말할 때가 왔다. 뒤를 도니 도열해 있는 사람들이 보인다. 사람들 사이 어느 한 사람이 눈에 띈다. 그는 한 중사다.

　3월 어느 날 하진은 훈련소와 전차 운용을 위한 교육을 마치고, 처음으로 자대에 갔다. 공교롭게도 하진을 수송하는 낡은 미니 버스 안에는 다음 주에 전역하는 말년 병장들이 가득하다. 말년 병장들은 하진과 하진의 동기인 태석을 호기심을 가지고 보고 있다. 몇몇 병장들이 호기심을 이기지 못하고 물어본다. 언제 입대했냐. 언제 전역하냐. 어디서 살다 왔냐 등등등. 자신들이 전역하는데 이제 들어오는 신병을 보고 그들은 속으로 껄껄 웃으면서도 안쓰러웠을 것이다. 하진과 태석은 굉장히 씁쓸했다. 그렇게 불편한 시간이 지나고, 하진은 자대에 도착했다. 그는 동기와 함께 2중대 행정반으로 안내되었다. 신병을 보는 원주민들은 신병들이 어디 배치될지 궁금한 모양이다. 그들은 사회를 떠나 자신들의 세계로 들어온 외부인들이 매우 반가웠다.

행정반에서 하진과 그의 동기는 행정보급관 앞에서 인적사항을 이야기하고 있다. 여기저기 바쁘게 돌아다니던 행정병은 다음번 경계 근무자들이 오자 근무자와 잡담을 나누고 있다. 커피 믹스 한잔을 마시며 요즘 부대 이야기와 자신의 전역, 휴가에 관해 이야기하며 이쪽을 힐끗힐끗 쳐다본다. 하진은 무릎에 손을 올려놓고 허리를 꼿꼿하게 편 상태로 딱 필요한 말만 했다. 불편한 시간이 끝나고 행보관은 행정병을 불러낸다.

"행정병!"

근무자와 잡담하고 있던 행정병은 행보관이 부르자 근무자와 인사를 하고 행보관에게 온다.

"얘네 생활관으로 안내해 주고, 짐 풀어주라고 해"

"네, 알겠습니다. 충성"

행정병은 하진과 동기에게 오라고 손짓하였다. 하진과 동기 태석은 기다란 사각기둥 모양의 더블백을 매고 따라갔다. 이제까지는 적응하기 위한 교육을 받고, 군 생활에 익숙해지기 위한 과정이었다. 지금부터는 실전이다. 하진은 비장한 마음으로 생활관에 들어갔다. 그는 이제 군인이었다.

하진이 자대에 온 지 2개월이 지났다. 아직 5월이지만 부대의 날씨는 어떻게 된 건 지 5월임에도 찜통에 들어온 기분이다. 사회에서는 따뜻하게 보듬어주던 봄 햇살도 군대에만 오면 군기가 바짝 드는 것 같다. 자신이 할 수 있는 최대한의 핵융합을 통해 우리에게 집중적으로 쏜다. 아마 대대장이 봤으면 흐뭇해하면서 포상 휴가를 주었을 것이다. 하진은 이런 실없는 생각을 하며 프라이팬처럼 달궈진 전차 위에서 선임, 간부들과 함께 전차를 정비하고 있다. 쓸데없이 소리 지르면서 병사들을 굴려대는 한 중사만 아니었다면, 힘들긴 했지만, 그냥저냥 평범한 하루가 되었을 것이다. 그러나 중사는 빽빽대며 전쟁통에 온 것 마냥 명령을 해대고 있다. 그렇게 소리 지르면 목이 안 아픈지 하진은 작은 의문을 가지며 묵묵히 일을 한다. 계급이 깡패지, 군대에 들어왔는데 어떻게 하겠는가. 그렇다. 계급이 문제였다.

"너 뭐해, 이 새끼야!"

하진은 중사의 포효에 움찔하며 하던 일을 멈췄다. 그렇게 가만히 중사를 바라보는 동안 중사는 하진에게 다가와 정강이를 찬다. 하진은 정강이를 부여잡고 싶었지만, 좁은 전차에서 그랬다가는 다른 사람을 밀게 된다. 크게 다칠 수 있기에 하진은 얼굴을 찡그리며 가만히 있었다. 중사는 찡그린 얼굴을 보더니 일병 새끼가 일도 제대로 안 하면서 빠졌다고 때린 곳을 계속 때리기 시작한다. 다른 사람들은 못 본 척 그 저 묵묵히 일만 할 뿐이었다. 하진이 할 수 있는 일은 '죄송합니다'를 계속 말하는 것뿐이었다. 얼마간 시간이 지나고, 다른 간부가 정비가 완료되었다고 말하자 중사는 하진의 머리를 한 대 치더니 씩씩거리며 전차에서 내려간다.

"니 군생활 개 같이 하지 마. 내가 지켜본다."

중사는 그 말을 끝으로 시야에서 사라졌다. 다른 간부들과 중사들 은 서로 눈치를 보더니, 하진을 없는 사람 취급하며 서둘러 일을 마무 리한다.

저녁을 먹고 하진은 모든 중대원이 다 샤워하고 난 이후 마지막으로 샤워를 하러 들어갔다. 바지를 벗으니 퍼렇게 멍이 들고, 군데군데 피 가 맺힌 정강이가 보였다. 상처를 보니 더욱 쓰라린 느낌이었다. 상처 가 물에 닿아 쓰라렸기 때문에 하진은 상처 부위를 피해 샤워를 해야 했다.

생활관에 들어오자 태석이 말을 건다. 태석은 격투 운동을 하고 온 친구라 떡대가 대단했다. 190의 큰 키에 스파르타 전사 같은 울룩불 룩한 근육을 자랑하는 태석은 특유의 분위기로 선임들도 함부로 대하 지 못하는 사람이었다. 하지만 무서운 외견과는 다르게 사람을 좋아해 서, 선임이든 동기든 모두에게 잘해주는 성격을 가지고 있다.

"야, 아까 큰소리 들리던데 괜찮냐?"

하진은 대충 괜찮다고 얼버무린다. 동기가 걱정되니 알려달라며 계 속해서 물어봤지만, 하진은 정말 괜찮다며, 신경 쓸 필요 없다고 말했다. 하진의 머릿속에 자기를 꼰지른 하진에게 물리적, 사회적으로 보복을 가하는 중사가 떠올랐다. 하진은 그런 상황을 감당할 자신이 없었다. 그때 태석의 선임이 같이 PX를 가자며 태석을 불렀다. 동기는 그런 하진을 미심쩍은 눈으로 보더니 무슨 일 있으면 알려달라고 하면서 자리를 떴다.

다음 날, 하진은 평소와 똑같이 아침 점호를 하고 일과 준비를 하고 있었다. 그때 하진의 맞선임인 조 일병이 오더니 하진을 부른다. 조 일병은 마른 체형에 까무잡잡한 피부를 가지고 있다. 밥은 먹는지 팔과 다리에 뼈밖에 없었다. 태국에서 살다가 입대한 케이스로 항상 태국에서 자기가 잘난 사람이라고 떠벌리고 다니는 사람이었다. 하진이 인사를 하자 조 일병은 따라오라고 한다.

"중사님이 아침 점호 열외하고 너 교육하라고 했어. 어제 일 병신같이 했다며? 닌 오늘 뒤졌다."

조 일병은 실실 웃으며 말했다. 그는 하진의 귓불을 잡아당기며 끌고 갔다. 조 일병의 발걸음은 굉장히 가벼웠다.

남들이 일과 준비를 하고 있을 때, 하진과 조 일병은 전차에 도착했다. 조 일병은 하진에게 전차 안에 있는 공구들을 모두 꺼내라고 한다. 전차를 수리하는 도구인 만큼 다들 한 덩치 하는 도구들이다. 때문에 1.7m 높이의 전차에서 혼자 도구들을 내리는 것은 굉장히 힘들다. 하진은 30분 동안 전차 안에 있는 모든 공구를 꺼냈다. 그사이에 다른 부대원들이 와서 정비 준비를 하고 있었다. 몇몇 조 일병보다 높은 선

임들이 와서 말리려 하면, 어디선가 중사가 나타나

"야, 냅둬. 내가 시킨 거야."

라고 했다. 하진은 미끄러져 떨어질 뻔하기도 하고, 도구를 떨어뜨리기도 했다. 그때마다 조 일병은 실수의 대가로 1대씩 적립이라 했다. 그렇게 다 내리고 숨을 헐떡이고 있을 때 조 일병이 말한다.

"아까 내리면서 도구들 어디 있는지 다 봤지? 이제 제자리에 올려놔."

하진은 썩은 표정으로 조 일병을 쳐다봤다. 이건 아니라 생각했지만, 저 멀리 중사가 담배를 피우며 조 일병과 하진을 보고 있었다. 하진은 그래도 하다가 다칠 게 뻔한 일을 하고 싶지 않아 이건 너무 위험하다고 했다. 그러자 중사가 담뱃불을 끄고 재떨이에 던지더니 다가왔다.

"니가 애초에 잘했으면 이런 일 없었잖아? 네가 자초한 거야. 가서 시키는 대로 해."

하진은 아무 말도 못 했다. 그는 공구 통을 꺼내 가벼운 공구부터 정리하기 시작했다.

"조 일병, 제대로 가르쳐. 너만 믿는다."

중사는 다시 어디론가 사라졌다.

"야야, 괜찮아 인마. 나도 다 겪은 일이다. 하면 다 돼."

조 일병은 하진의 머리를 툭툭 치며 담배를 피우러 갔다. 그렇게 낑낑거리며 오전 내내 공구를 정리하고 조 일병을 불렀다. 조 일병은 전차를 이리저리 둘러보더니 씨익 웃는다. 공구가 잘못 정리되어 있다고 한다. 그러더니 공구를 꺼내며 숫자를 센다. 하나, 둘, 셋… 하진은 직감적으로 자기가 맞을 대수라는 것을 알았다. 그때 전차 시동을 걸라는 소리가 들린다. 전차 시동이 걸리고 시끄러운 엔진소리가 귀를 때리기 시작했다.

"전차 안으로 들어와."

조 일병은 말했다. 그러면서 전차 안으로 들어갔다. 하진은 들어가지 않으려 했다. 조 일병은 그런 하진을 보더니 중사한테 혼날지, 자기에게 혼날지 결정하라고 한다. 중사한테 가봤자 다시 조 일병에게 돌아오기 때문에 하진은 울며 겨자 먹기로 들어갔다. 전차 안은 이런 저런 장비로 가득 차 있다. 두 사람이 서 있으면 가득 차는 좁은 공간. 피할 공간도 움직일 공간도 없었다. 주먹과 발이 하진을 때리기 시작했다. 전차 안에는 사람이 맞는 소리가 들렸지만, 전차 엔진은 모든 소리를 가려버렸다. 그 바깥에는 다른 부대원들이 삼삼오오 모여 즐겁게 이야기를 나누고 있었다.

하진은 샤워기를 틀고 가만히 있었다. 오늘은 근무하고 와서 다들 샤워를 다 한 상태였다. 하진은 편하게 혼자서 샤워를 즐길 수 있었다. 하진의 몸에는 멍이 가득했다. 조 일병은 어디서 났는지 몽키스패너를 들고 하진을 때렸다. 팔, 다리부터 시작해서 배 등까지. 그나마 머리를 안 때린 게 다행이라면 다행이다. 사람을 많이 때려봤는지 조 일병은 딱 뼈가 부러지지 않을 만큼 힘을 줘서 때렸다. 덕분에 움직일 수는 있었지만, 온몸이 퍼렇게 멍이 드는 것을 피할 수는 없었다.

그렇게 따가움을 참아가며 샤워하고 있는데 동기인 태석이가 갑자기 들어왔다. 운동을 하고 온 듯 땀을 잔뜩 흘리며 온 태석은 '어우, 덥다' 하면서 샤워실에 들어왔다. 그러다 하진을 보고는 소스라치게 놀랐다.

"야이 씨, 너 그게 무슨 꼴이야!"

태석은 하진에게 달려왔다. 그는 하진 몸 이곳저곳을 보더니 욕설을 내뱉었다. 태석은 이번에는 못 참는다며 누군지 당장 말하라고 했다. 그러나 하진은 가만히 있을 뿐이었다. 그러면서 말하면 더 힘들어진다고 이야기했다. 태석은 답답했는지 소리를 지른다.

"그렇다고 계속 당하고 살 거야?"

하진은 괜찮다고 했다. 태석은 한숨을 쉬었다. 태석은 하진이 말을 안 하면 자기가 하겠다고 이야기한다. 그러나 하진은 그렇게 되면 내가 더 힘들어질 뿐이라고 하면서 말렸다.

그렇게 태석이를 말리고 며칠이 지났다. 그동안 하진은 별 다를 바 없는 하루하루를 보냈다. 조 일병은 틈만 나면 창의적인 방법으로 하진을 괴롭혔다. 한 번은 기관총을 분해해 닦아야 했다. 조 일병은 기관총을, 총열을 분해해 들었다. 기관총 총열은 길이가 거의 30cm 정도 되는 쇠막대이다. 조 일병은 이런 총열을 들고 하진이 닦은 총에 검은 먼지가 나올 때마다 몇 대씩 때렸다. 어쩌다 경계 근무를 나가게 되면 조 일병은 CCTV의 사각지대로 가 총으로 툭툭 치면서 바지를 벗어보라 강요했다. 하진이 거부하면 조 일병은 총의 개머리판으로 하진을 구타했다.

그렇게 하진의 몸에 멍이 들고, 하진은 피폐해졌다. 아무리 숨어서 한다지만 부대원들이 그것을 모를 리가 없었다. 그러나 중사의 비호와 중사 라인의 묵인하에 폭력은 자행되고 있었다.

그러나 동기 사랑, 나라 사랑이라 했던가. 자기 동기가 그렇게 당하는 것을 본 태석은 눈이 돌아갔다. 어느 날, 지친 하진이 생활관 관물대 앞에 쭈그려 앉아 있었다. 태석은 그 모습을 보더니 하진의 팔을 잡고 끌고 가기 시작했다.

"뭐…뭐야, 너 왜 그래? 미쳤어?"

"미친 건 너지, 인마."

동기는 하진을 강제로 끌고 갔다. 하진이 빠져나오려 했지만 190cm의 격투가를 힘으로 어떻게 이길 방법은 없었다. 그렇게 질질 끌려 도착한 곳은 행정반이었다. 행정반에서 동기는 대뜸 행보관에게 경례를 날린다.

"충성, 행보관님. 잠시 이야기할 것이 있어 왔습니다!"

행보관은 잠시 '엥?' 하는 표정으로 쳐다보더니 이내 경례를 받아 줬다.

"어 그래, 무슨 일이야?"

이후 하진은 등 떠밀려 행보관에게 지금까지 있었던 일을 이야기했다. 이야기를 들으면서 행보관의 표정은 점점 썩어 들어갔다. 행보관은 '알겠어, 내가 알아서 할게. 가봐'라고 하며 한숨을 쉬었다.

다음 날 아침, 하진은 아픈 몸을 이끌고 아침 점호를 받았다. 간단하게 씻고 전투복으로 갈아입은 하진은 무서웠다. 조 일병이 보복하면 어떻게 하지? 중사가 나를 부르면? 하진은 이대로 시간이 멈췄으면 했다. 그러나 시간은 점점 흐르고, 좀 있으면 일과를 받으러 나가야 할 때가 왔다. 그때 어디선가 쩌렁쩌렁한 욕설이 들려왔다. 부대원 모두가 어리둥절하여 바깥을 살펴봤다. 소리는 간부 휴게실에서 들려오고 있었다.

"야 이 새끼야, 너 일부로 내 진급 막으려고 그러는 거야? 병사 관리를 어떻게 하는 거야!"

짬밥을 먹을 대로 먹은 행보관은 중사에게 분노를 쏟아내고 있었다. 두 눈썹 사이에 새로 주름이 잡히고, 입을 벌어질 대로 벌어진다. 뻘게진 얼굴은 그의 분노를 나타내는 것처럼 보였다. 벌써 20분 넘게 행보관은 소리를 지르고 있다. 그러나 그의 목청은 변하지 않았다. 목소리가 절대 쉬지 않았다.

보다 못한 다른 간부들이 상황을 정리했다. 물론 간부 휴게실에 들어가는 용기 있는 자는 없었다. 간부들은 병사들을 통제해 일과를 받도록 했다. 하진 또한 일과를 받으러 가려 했다. 그때 간부들이 하진을 부른다.

병영 내 도서관으로 하진을 데리고 간 간부는 하진에게 말했다.

"혹시 괜찮으면 지금 몸 상태가 어떤지 보여줄 수 있을까? 우리가 상황을 알아야 할 거 같다."

하진은 머뭇거렸다. 하지만 결국 윗옷을 벗었다. 하진의 온몸에는 멍이 가득했다. 피부가 정상인 부분이 거의 없었고, 어떤 상처는 덧났는지 흉하게 흉터가 생겼다. 간부들은 아무 말도 할 수 없었다. 간부들은 조용히 하진에게 다시 입으라고 했다. 간부들은 굳은 표정으로 무언가를 고민했다. 그들은 자신들의 진급에 영향이 갈 것을 걱정하고 있었다. 이 상황에서 자신이 결백하다는 것을 어떻게 증명할지 고민하고 있었다. 하진은 그런 간부들을 보며 복잡한 표정을 지었다.

간부들에게서 풀려난 하진은 전차로 갔다. 그곳에는 조 일병이 일을 하고 있었다. 조 일병은 하진을 보자마자 얼굴을 찡그리며 다가왔다. 그렇게 때리려고 하다가 주위를 둘러보더니 손을 내렸다. 조 일병은 하진에게 귓속말로 말했다.

"너, 나중에 보자."

그러고선 다시 전차로 가 일을 하기 시작했다. 하진은 몸이 굳는 느낌이었다. 결국 괴롭힘을 피하려 했지만, 더 큰 괴롭힘을 불러왔다고 생각했다. 태석은 멀리서 조용히 지켜봤다.

하진이 일과를 받는 동안 간부들 사이에서는 많은 일들이 오갔다. 가능하면 부대 내에서 처리하는 것이 가장 좋았다. 상급 부대로 올라가면 갈수록 부대가 받는 피해는 기하급수적으로 증가했다. 그래서 우선 간부들은 맞선임과 중사를 하진과 분리하기로 했다. 하진을 전차가 아닌 장갑차로 보내기로 결정했다.

하진은 이 소식을 듣고는 안도했다. 적어도 일하는 도중에 그 사람들을 만나지 않아도 된다는 것에 만족했다. 좋은 군 생활은 아니어도 어느 정도 군 생활을 할 수 있을 것이란 생각이 들었다.

그날 저녁, 태석은 하진을 불렀다. 태석은 하진을 부대 헬스장으로 데리고 갔다. 그러더니 글러브를 꺼내 온다.

"너 조 일병이 너 벼르고 있는 거. 알고 있지?"

모를 리가 없었다. 조 일병은 계속해서 괴롭힐 기회를 노리고 있었다. 지금은 자중하고 있지만 언제 또 터질지 몰랐다.

"이번에는 내가 다 해줬잖아. 근데 언제까지고 그럴 순 없잖아?"

그러더니 글러브를 던진다.

"니 한 몸 건사할 줄은 알아야지. 지금부터 빡세게 훈련한다."

그러면서 복싱 선수 훈련 때 사용하는 복싱 미트를 끼고 자세를 잡았다. 태석은 손수 자세를 잡아주며 자신이 알고 있는 지식을 풀어냈다. 시간이 많지 않기에 속성으로 배워야 했기에 숙련되진 않았지만 그래도 그 정도면 충분하다고 태석은 말했다. 계속해서 주먹을 날리고, 방어 연습을 하면서 맞았다. 그렇게 1시간 정도 훈련하고 태석을 말했다.

"좀 쉬었다가 이제 스파링 해 볼 거야. 실전만큼 좋은 것도 없지."

하진은 그 자리에 벌러덩 누웠다. 온몸의 근육이 비명을 지르는 거 같았다. 그렇게 10분 정도 쉬고 태석은 물을 마시며 일어난다. 이번에는 권투 글러브를 낀다.

"자, 마음껏 덤벼봐."

하진은 쉽게 달려들지 못했다. 하진이 머뭇거리고 있자, 태석이 먼저 달려든다. 하진이 맞고 나둥그러지자 태석은 다시 일어나라고 재촉한다.

"가드 제대로 올려! 배운 거 다 어디 갔어!"

태석은 계속해서 주먹을 날린다. 하진은 이러다가 진짜 큰일 나겠다는 생각이 들었다. 하진은 살고자 하는 마음에 주먹을 날린다. 태석이 10대 때리는 동안 하진은 1대 때렸지만, 태석은 흡족했다. 급하게 배운 거 치곤 어느 정도 하는 거 같았다.

"이제 됐다. 그 정도면 됐어. 고생 많았다."

하진은 바닥에 털썩 주저앉았다. 심장은 쾅쾅거리며 뛰고 다리를 후들후들 떨렸다. 태석은 좀 쉬다 나오라며 먼저 떠났다. 하진은 한 동안 움직이지 못했다.

며칠 뒤, 하진은 경계근무를 나가기 위해 준비를 하고 있었다. 전투조끼를 입고, 총을 맨다. 평소와 똑같은 루틴이지만 오늘은 뭔가 좀 더 비장하다. 조 일병과 같이 경계를 나가기 때문이다. 하진이 찌른 이후로 조 일병은 한 번도 하진에게 말을 걸지 않았다. 그렇다고 눈빛까지 달라진 건 아니었다. 그의 눈은 화로 가득 차 있었다. 조 일병은 초소로 갈 때까지 한 번도 하진을 보지 않았다. 철저하게 하진을 없는 사람 취급하며 앞만 보고 걸어갔다.

그렇게 하진과 조 일병은 초소에서 경계근무를 시작했다. 초소에는 전방을 보기 위한 등 하나만이 외롭게 켜져 있었다. 주변은 시골이라 가로등도 없기 때문에 보이는 곳은 등이 켜져 있는 곳뿐이었다. 뭔가 좀비나 괴물이 갑자기 튀어나올 듯한 분위기였다.

그렇게 몇 분이 지나고, 조 일병은 갑자기 하진을 불렀다. 하진은 일이 터지겠다고 생각했다. 초소에는 단둘밖에 없었고, 주변에 사람이라고는 털끝 하나 보이지 않았다. 조 일병은 갑자기 휴지를 꺼내더니 코를 풀기 시작했다. 코 푸는 소리가 조용한 밤 하늘에 울려 퍼졌다.

코를 다 푼 조 일병은 휴지를 뭉치더니 그것을 하진에게 던졌다. 하진은 뒤를 돌아봤다.

"뭐, 인마."

조 일병은 팔짱 낀 채로 하진을 봤다.

"뭐 하십니까?"

하진은 조 일병을 바라보면서 말했다. 조 일병은 그저 코웃음을 칠 뿐이었다. 조 일병은 가래침을 하진 발에다 뱉었다.

"어쩔 건데."

하진은 생각했다. 어떻게 해야 할까. 아니, 정확히는 어떻게 때려야 안 들키게 때릴 수 있을까 생각했다. 하진은 매고 있던 총을 벗고 손에 들었다. 그리고 조 일병에게 한 걸음씩 다가갔다. 한걸음, 한 걸음씩 천천히. 예전부터 외교로 해결이 안 되면 전쟁이 분쟁의 해결책이었다. 상대를 존중해줬는데, 상대가 하진을 존중하지 않으면, 하진 또한 그럴 필요가 없었다. 조 일병을 존중할 필요가 없었다. 하진은 이제부터 조 일병을 사람으로 생각하지 않기로 했다.

하진은 개머리판으로 조 일병의 허벅지를 때렸다. 조 일병은 비명을 질렀지만 이내 정신을 차리고 하진에게 달려들었다. 하진은 개의치 않았다. 한번, 두 번, 세 번. 그동안 쌓인 울분을 다 쏟아내려는 듯 하진은 입대 이후 가장 힘차게 움직였다. 아팠지만 상관없었다. 태석이 때린 것보단 덜 아팠다. 하진은 이런 별거 아닌 놈에게 잡혀 살았다는 게 어이없었다. 그때 무전기에서 소리가 들려온다. 하진은 순간 들켰나 싶었지만 그건 아니었다. CCTV에 근무자들이 안 보이자 당직사관이 연락한 것이다. 하진이 받자 당직사관은 근무 똑바로 서라고 지시였다. 하진은 바닥에 앉아 있는 조 일병에게 말했다.

"조 일병님, 당직사관님이 근무 똑바로 안 선다고 뭐라 하셨습니다. 일어나셔야 할 거 같습니다."

하진은 조 일병 전투 조끼의 어깨 부분을 들어올린다. 조 일병은 하진의 손을 쳐냈다. 그리고선 끙끙거리더니 일어나 초소 앞으로 가서 섰다. 하진은 그제야 난간에 몸을 기댄다. 빨리 들어가서 자고 싶었다.

그날 이후 조 일병과 하진은 서로 모르는 사람이 되었다. 전차 정비를 하면서 어쩔 수 없이 계속 부딪혔지만, 꼭 필요한 경우가 아니면 말하지도, 보지도 않았다. 그렇게 잘 넘어가나 싶었지만 이번에는 중사가 말썽이었다.

"하진아, 이따 점심 먹고 잠깐 커피 한잔하자."

갑자기 중사가 친절하게 대하는 것도 어이가 없었다. 그러면서도 동시에 왜 그렇게 싫어하던 병사를 불렀는지 의문이 들었다. 그러나 지금은 전차에 집중해야 했다. 의문은 나중이었다.

하진은 태석과 함께 병사식당에서 밥을 먹고 있었다. 태석에게 방금 있었던 일을 말했다.

"내가 행정병들하고 좀 친하잖냐. 행정병이 어깨너머로 들었는데, 그 일 때문에 진급에 문제가 생겼나 봐. 실적에 문제가 생긴다나 머라나. 여튼 그것 때문에 너한테 간 거 같은데?"

태석은 밥을 우걱우걱 씹더니 말했다.

"그래서, 조 일병하곤 어떻게 됐냐? 잘 해결되었어?"

하진은 말없이 씨익 웃었다. 태석은 하진의 어깨를 툭 치더니 마주보며 웃었다. 밥을 다 먹은 태석은 일어난다.

"중사가 뭔 일로 불렀는지는 모르겠는데, 휘둘리지 마라. 뭐, 잘하고 있는 거 같긴 하네."

태석이 나가고 하진은 다시 밥을 먹기 시작했다. 전투하려면 밥을 든든하게 먹어야 했다.

점심시간이 시작하고 일과가 다시 시작했다. 모두들 낮잠을 자다 일어나 좀비처럼 어기적어기적 걸어갔다. 하진은 제외였다. 그는 중사를 따라 간부 휴게실로 들어갔다. 간부 휴게실은 침상 2개가 양옆에 있었다. 여기저기 장구류가 흩어져 있고, 한쪽에는 책장 안에 여러 서류가 꽂혀 있었다. 처음 들어가 본 간부 휴게실이었지만, 군대가 다 똑같은지 병사들이 생활하는 공간과 다를 바가 없었다. 간부 휴게실에 들어간 중사는 앉으라고 하더니 냉장고에서 캔 커피 2개를 들고 왔다. 하진에게 하나를 건네더니, 침상에 앉으며 이야기한다.

"요즘에는 어때? 좀 할 만해?"

'요즘 어때'라니.. 지금 그게 중사 입에서 나올 소리인가? 하진은 황당했지만 웃으며 말했다.

"뭐, 요즘 괴롭히는 사람이 없어서 좋네요."

중사는 '그러니?' 하며 잠시 가만히 있었다. 그러다 갑자기 중사가 자신의 계급장을 떼기 시작했다. 그러면서 이렇게 말했다.

"하진아, 너도 계급장 다 떼"

하진은 묵묵히 시키는 대로 했다. 그 모습을 보던 중사는

"지금부터 하는 이야기는 계급장 떼고 말하는 거야. 여기서 말한 건 밖에서 아무 영향도 주지 않을 거야."

라며 하진을 안심시켰다. 사회에서 말로만 듣던 계급장 떼고 싸우기가 이런 건가. 하진은 사회에서 많이 돌아다니는 말이 괜히 있는 게 아니라는 것을 알 것 같았다. 계급장을 떼든 말든 무슨 상관인가. 그렇다고 계급이 바뀌는 건 아닌데. 하진은 그저 생색내기라는 생각이 들었다. 행보관에게 겁나 까이고, 자기 성과와 진급에 문제가 되니까 그러는 거겠지.

하진이 어떻게 생각하든, 중사는 하진에게 설득 아닌 설득을 하기 시작했다.

"하진아, 음… 나는 네가 전차에 잘 적응할 수 있게 노력하려고 그랬던 거야. 너가 그렇게 힘들어할 줄은 몰랐다."

중사가 모를 리가 없었다. 하진은 굳은 표정으로 아무 말도 안 하고 가만히 앉아 있었다. 중사는 아랑곳하지 않고 나긋나긋하게 말했다. 하지만 그의 눈빛은 그러지 않았다. 중사의 얼굴은 어떻게든 표정을 감추기 위해 경직되어 있었다.

"그래서 나는 네가 여기 남아 있었으면 좋겠다."

중사는 하진에게 남아있을 것을 제안했다. 하진은 아무 말도 하지 않았다.

"생각할 시간을 좀 줄게. 긍정적으로 검토해 봐"

하진은 생각할 것도 없었다. 무조건 빠이빠이었다. 남아있을 이유

가 없었다. 바로 거절하였지만, 중사는 천천히 생각해 보라면서 하진의 말을 듣지 않았다.

다음 날, 하진은 샤워실에서 세수하고 있다. 좀 있으면 중사가 출근할 것이다. 하진은 중사가 출근하자마자 하진을 부를 것으로 생각했다. 똥줄이 좀 타겠지. 예상대로 일과가 시작하자마자 중사는 하진을 불러 어제 봤던 간부 휴게실로 갔다.

"그래 하진아, 생각해 봤니?"

중사는 하진에게 물었다.

"네."

"그래, 어떻게 하고 싶어?"

"제가 들어간다고 해도 잘할 것 같지 않습니다."

하진은 단호하게 이야기를 꺼냈다.

"내 생각에는 그렇지 않아. 아직 온 지 얼마 안 돼서 그렇지. 익숙해지면 다 할 수 있어."

중사는 하진을 회유하기 시작했다.

"내가 저번에 화냈던 거 때문이라면 미안해. 그때 내가 너무 스트레스가 심해서 그런 거 같아."

스트레스가 심해지면 또 그런다는 말인가. 하진은 황당했다.

"너 장갑차 가면 이미지가 좋지 않을 거야. 자기 할 일 놔두고 가면 다른 사람들이 안 좋게 보지 않을까?"

이전의 하진이었다면 아무 말도 못 하고 시키는 대로 했을 것이다. 그러나 지금은 달랐다. 그는 흔들리지 않았다.

중사의 회유는 계속되었다. 하진은 대부분 침묵을 지키거나 간단한 답변만을 했다. 중사는 답답했는지 짜증 난 말투로 말했다.

"하.. 하진아, 네가 장갑차로 가더라도 우리 어차피 같은 소대인 거, 알고 있지? 너 간다고 나 안 보는 거 아니다?"

중사는 회유가 안 되니 협박하기 시작했다. 순간 하진은 화가 났다. 중사는 하진을 사람으로써 존중하지 않았다. 더 이야기할 것도 없었다.

"괜찮습니다. 장갑차 가겠습니다."

"너 진짜 감당 가능해?"

"못할 거 없죠."

"…..그렇게 안 봤는데, 그렇게 책임감 없는 사람인 줄은 몰랐네. 자기 일 팽개치면 사회에서도 좋게 안보는 건 알고 있지?"

"처음부터 좋게 보지 않았던 거 알고 있습니다. 그리고 사회에서는 제가 알아서 하겠습니다. 중사님이 신경 쓸 부분은 아닌 것 같습니다."

중사는 하진의 태도에 잠시 당황한 것 같았지만 짐짓 엄격한 표정을 지으며 말했다.

"다시 생각해 봐라. 나는 네가 현명한 판단을 할 거라고 믿는다."

하진은 잠시 말을 멈췄다.

"이만 가보겠습니다. 오늘 장갑차 분기 점검 날이라 아주 바쁩니다. 중사님이 말씀하신 책임을 다 지기 위해선 가봐야 할 것 같습니다."

두 사람은 잠시 서로를 바라본다. 하진은 아랑곳하지 않고 일어선다.

"이만 가보겠습니다. 충성."

하진은 간부 휴게실 밖으로 나왔다. 밖에 나오자 해가 쨍쨍했다. 여름의 버프를 더욱 받은 햇살은 그동안 벌크업을 더 했다. 처음 엄청나게 까였던 날도 이런 날이었다. 하지만 지금의 하진은 그때와는 다른 사람이다. 마치 자신의 과거를 털어버리려는 듯이. 하진은 일을 하러 갔다. 그곳은 전차가 있는 곳은 아니었다.

모든 순서가 끝나고 그동안 함께 해온 사람들과 인사를 나눌 때가 되었다. 하진은 자기와 함께한 후임들과 간부들에게 인사를 했다. 하진이 장갑차에 간 이후 맞선임과 중사는 각각 다른 이유로 하진을 보지 못했다. 맞선임은 다른 후임에게 부조리를 일삼다 후임이 마음의 편지로 폭로하는 바람에 다른 중대로 날아갔다. 중사는 약 2주 뒤에 교통사고로 다치는 바람에 임무 수행이 불가능해져서 하진이 말년휴가를 나왔을 때가 되어서야 부대로 돌아왔다. 두 사람이 없는 동안 하진은 군대에 완벽히 적응해 병장 때는 장갑차에서 중요한 역할을 해냈다.

하진은 중사가 자기 눈을 피하는 것을 보았다. 그는 중사에게 다가가 먼저 인사를 했다. 하진은 이제 중사에게 아무런 감정도 느끼지 않았다. 중사는 하진에게 약했던 과거를 상징했다. 그 과거를 바꿀 수는 없다. 그러나 떠나보낼 수는 있다. 하진은 과거와 마지막 작별 인사를 하러 갔다.

"그동안 고생 많으셨습니다."

음…이 인사를 하는 게 맞는지는 모르겠지만 그건 중요하지 않았다. 중사는 당황하더니 "어어.. 그래.. 고생했다."라며 인사했다. 이제 진짜 끝이다. 이제는 미래를 볼 시간이다.

하진은 부대 입구에서 후임들이 준비한 전역모를 쓰고, 같이 사진을 찍었다. 후임들과 마지막 인사를 나오고 그는 부대를 나섰다. 다시 이 경계를 넘는 일은 없을 것이다. 하진은 가벼운 발걸음으로 집을 향했다.

사랑하는 나의 수호천사

민경해

민경해   안녕하세요! 고난과 역경에 대해서 쓰길 좋아하고, 우울증을 극복하기
위해서 고군분투하고 있습니다.또한 삶을 살아가는 이유에 대해서 논하
는것을 즐깁니다.

눈을 뜨면, 늘 같은 곳, 같은 침대, 시큼한 침 냄새와 함께 깬다. 머리맡에 두었던 휴대폰에 손을 뻗쳐 시간을 확인하고, 출근시간임을 깨닫는다. "가야지" 라는 채념과도 같은 한마디와 함께 나는 어지럽게 흐트러진 쓰레기더미들을 비집고 입고 있던 펜티를 땅에 버리며 화장실로 들어간다.

샤워기의 물이 따뜻해지기 전까지 나는 주변을 둘러본다. 화장실엔 타일 곳곳에 검은 물때와 곰팡이가 서려있다. 하지만 아무런 생각을 불러 일으키진 않는다. 곰팡이들은 원래부터 존재하던 것처럼, 아니면 마치 묘지와 같은 내 생각의 풍경처럼 동일화 되어 감각의 자극조차 되지 못하는 것이겠지. 이내 샤워기의 물이 따뜻해지고, 나는 물에 몸을 적신다. 이건 의식이다. 마치 적셔진 곳에는 생살이 돋아나는 것처럼 죽어 있던 몸뚱어리가 하루를 일용할 양식을 얻는다.

샤워를 마치고 헤어 드라이기로 몸과 머리를 말리면서 주위를 살펴본다. 주위는 머리카락으로 흥건하고 손거울은 이리저리 손때가 묻어 사실상 나를 볼 수가 없다. 다시 쓰레기 더미들을 지나 빨래걸이에 있는 옷들을 주섬주섬 입으며 그대로 출근길로 향한다. 지하철에서 스마트폰으로 의미없는 유머들을 보고 피식피식 웃다가, 군대나 학창생활을 떠올리게 하는 글이 있으면 순식간에 배가 뒤틀린다. 하지만 못견딜 정도는 아니다. 그저 지나가는 길에 불쾌한 걸 본 것 수준에 지나지 않는다.

회사에 출근하자마자 에너지 드링크를 하나 들이켠다. 어떻게든 정상인으로서 기능하기 위해서는 필요한 것이다. 그렇지 않으면 졸음에 잡아 먹혀 제대로 일을 할 수가 없다. 나는 그저 회사에서 일순간의 풍경이 되기 위해서 잠시 살아만 있을 뿐이다. 먼지만 쌓인 빈 자리는 하얀 도화지일 뿐이다.

퇴근한다. 빠르게 재촉하여 집으로 간다. 집으로 되돌아와서 딱히 할 수 있는 것도, 하고 싶은 것이 있는 것도 아니다. 퇴근길에 사온 맥주를 들이켜며 그저 시간이 빨리 지나가길 기도하는 것처럼, 쓰레기 더미에 발이 걸려가며 침대에 누워 다시금 폰을 만질 뿐이다. 폰에 내 얼굴이 흘러나온다. 죽어있다. 맥주 한캔을 비우고 나는 먹던 약을 먹고 그대로 잠이 오기를 죽은 것처럼 기다리고 있다.

생각은 오래 흘러가진 않고, 그대로 심연 속으로 가라 앉는다.

폰에서 알람 소리가 난다. 눈을 뜨면 또 같은 곳 같은 쓰레기 더미, 꿉꿉한 침대 위에서 일어난다. 머리맡에 두었던 폰을 확인하고 "가야지" 라는 절망이 섞인 목소리와 함께 나는 쓰레기장을 헤엄치며 그대로 화장실로 출근한다.

퇴근한다. 나는 퇴근하는길에 지하철에 걸린 광고가 어제와 달라진 것을 깨닫는다. '당신의 인연을 만나 행복 해 지세요' 나는 속으로 읊조린다. 만성적인 외로움에 또 아픔을 주는 목소리다. '이제 굳이 연인이 없는 것이 나의 잘못인 시대가 아니지 않는가?' 나는 속으로 다시금 변명을 한다.

맥주를 비우고 폰을 다시 켠다. 평소에 가던 유머 사이트 대신, 어플리케이션으로 몇번이나 지웠던 데이팅 어플리케이션을 다시 설치한다. 먼저 이 과정을 위해서는 가장 완벽한 나 자신이 필요하다. 마치 심상은 중요한 소개팅을 나간 것처럼, 나는 쌓아놓은 맥주 캔들을 다시 일렬로 정렬하고, 마지막에 비운 맥주캔을 하나 더 추가하여 나만의 제단을 침대옆에 완성한다.

프로필을 보고 좋아요를 누르고, 누르고, 기다리다, 기다리다, 또 기다리다가 그러다 나중에 지우면 될 뿐이다. 나는 선택 받을 수 없다는 사실을 매우 잘 알고 있다. 그러함에도 불구하고 기다리는 것은 일종의 종교적인 행위일 뿐이다. 무교인 나에게 가장 완벽한 신앙생활이다.

나는 사회로부터 거부당했다. 어느 누구도 나를 바라봐 주지도 않고, 어느 누구도 나를 사랑해 주지 않는다. 이것은 사실이며 이때까지 증명된 공식이다. 그러한 나 자신이 사랑받을 수 있는 단 하나의 방법만 있다면, 나는 목숨을 버릴 수 있었을텐데. 하지만 그건 이루어 지지 않는다는 걸 잘 알고 있다. 눈을 감으면 나는 이미 심연에 빠져 버렸다는 것을 알 수 있다. 아무 생각도 나지 않는다.

일어난다. 나는 시간을 확인하는 중에 알림에 평소에는 무시하던 게임 알람 말고 이상한 것 하나가 있다는 것을 알게 되었다. "guardi-antenshi 님과 매치되었습니다. 여기를 눌러 대화를 시작하세요. "더 놀라운 건 그 위에 하나의 알람이 더 있다는 것이다. "안녕하세요?"

갑자기 얼굴이 타오르는 느낌을 받았다. 시간은 7시, 빨리 움직이지 않으면 늦기에 일단은 화장실로 도망쳤다.

머리를 감기 위해 눈을 감는 순간은 흘려봤던 그녀의 얼굴이 가장 완벽하게 떠오르도록 만들었다. 아주 예뻤다. 내 인생에 결코 만날 수 없는 미인이었다. 그러함에도 불구하고 나는 계속 '안녕하세요' 라고 속으로 고장난 것 처럼 되뇌일 뿐이었다.

출근하면서 나는 "만나서 반가워요" 라고 그녀에게 겨우 답신했다. 읽지않음이라는 작은글씨는 존재 자체가 나를 옥죄는 선고와도 같았다. 무가치함, 답신할 필요 없음, 실수임…. 내 머리속에서 나를 평가하는 목소리는 항상 존재해 왔지만 지금처럼 강렬하게 쏟아내는 건 오랜 만이었다. 나는 출근하는 이 시간이 이렇게 길어질 줄은 몰랐다.

회사에 도착하여 짐을 풀고, 다시 폰을 살펴보았다. 그리고 놀랍게도 읽음 표시가 보였고, 그 표시에 놀라자마자 바로 답신이왔다. "저도요"

회사 시간은 본디 지루함의 연속이었다. 잡일을 하고 남는 시간에 멍만 때리고 있는 게 내가 할 수 있는 최선의 일이었다. 남는 시간이 많다는 건 능력이 뛰어나다는 증거일까? 아니면 자기할일도 모르는 바보라는 뜻일까? 그런 걸 생각 위로 올리지도 않은지도 수년째, 하지만 오늘은 다르다. 오늘은 '할 일'이 있다.

대화는, 아니 채팅은 순식간에 활력을 찾았다. 그녀도 지루했던 참일까? 아니면 출근시간이 다른 것인가? 서로를 탐색하기 시작하면서 먼저 그녀는 메신져로 대화하자고 했다. 하긴 채팅하기엔 이 데이팅앱은 불편하다. 그녀가 알려준 아이디를 입력하고 나는 메신져로 그녀와 다시 대화를 시작했다.

그녀는, guardiantenshi 은 한국지부에 있는 일본의 금융 회사를 다니는 전문 분석가라고 소개하였다. 그래서 그녀의 채팅은 어눌했었지만, 나름 의사소통에는 문제가 없었다. 그에 비해 나는 일개 중소 프로그래머일 뿐인데, 무엇이라고 소개를 해야 할지, 머뭇거렸지만, 이내 내가 할 수있는 최선의 프레젠테이션을 시작했다. 나만의 꿈을 가진 창업가로서 평소에는 회사에서 일을하고, 남는 시간에 새로운 앱을 개발하기 시작했다고. 그녀는 그 말을 듣고 일순간 침묵하는 듯했지만, 그 잠깐의 침묵에 나는 불안감을 느꼈지만, 이내 다시 채팅을 시작하였다. "정말 대단해요 A 씨, 저는 당신의 꿈이 이루어 지길 정말로 기대해요."

그녀와 나와의 채팅은 퇴근 중에도, 퇴근하고 나서도 계속되었다. 서로를 탐색하는 시간이 계속 이어지면서, 특이한 점은 그녀는 내가 채팅하고 나서 한참 후에 반응을 한다는 것인데, 그에 비해서 나는 하루 종일 채팅방을 쳐다보고 있었다. '하긴, 여기서 바보같은건 나 인 것이지.' 그녀는 밤에도 운동을 다녀오고 요리도 직접해서 사진을 보여주고, 자신이 기르는 고양이도 찍어 보내주었다. 고양이의 이름이 나나였다. 귀여운지 아닌지는 사실 내 알바가 아니었다. 나는 그저 그녀만에게 집중하고 있었다. 하지만 그녀는 항상 밤 늦은 시간을 목욕으로 마무리한다. 사치스러운 일상인가? 목욕을 해 본지 가족과 함께 목욕탕에 간 것 말고는 오로지 샤워 뿐인 나에게 그녀는 다른 세상에 사는 사람 같았다. 그렇게 아쉽게 목욕시간이 끝나면 짧은 대화와 함께 그녀는 잘자 라고 내게 속삭이듯이 말하곤 사라진다. 그녀는 철저하게 그 이후로 내 말들을 읽지 않는다. 나도 이내 약을 먹고 따라 잠든다. 더이상 할 것도 없기도 하고, 그녀와의 대화 말고는 다른 것들은 모두 귀찮아 졌기 때문이다.

죽고싶다. 라는 말을 항상 되뇌이던 순간들이 있었다. 언재였는지는 모르겠지만 과거에 몇 번은 그랬다. 지금은 그렇지 않다.

일상은 조금씩 색체를 띠기 시작했다. 언젠가 그녀를 만날 수 있다는 희망에, 그녀를 내 집으로 초대할 수 있다는 망상을 끼고 볼때 지금의 내집은 너무 초라하고 위험해 보였기 때문이다. 우선은 쓰레기부터다. 나는 청소를 시작했다. 우선 아예 사지도 않았던 청소기를 구입하고, 쌓아 두었던 쓰레기들을 조금씩 조금씩 배출하기 시작했다. 청소기로 수많은 먼지와 머리카락들을 정리해 나가면서 나는 무언가 생기라는 것을 얻기 시작했다. 그 생기는 사실 다름 아닌 폰을 통해서 guardiantenshi라는 여성에서 오는 것임을 매우 잘 알고 있었다. 사실 무교라는 종교는 언제든지 어느 종교를 받아들일 수 있는 신념이라는 것으로 이해하면 된다. 나는 guardiantenshi이라는 신을 받아들였다.

그녀와 대화하는 동안 일상은 가속도가 붙었다. 일은 더 재미있어졌으며, 출근길에는 그녀와의 대화들을 훑는 것 만으로도 생기가 돌았다. 항상 그녀는 내가 일을 마쳐가는 순간부터 채팅을 시작하는데, 나는 그 순간을 너무나도 기다리기 시작했다. 마치 식전의 에피타이져처럼, 직장에서의 일과는 맛있고 세콤했다.

그녀와의 대화는 너무나도 유익하고 행복했으며, 슬슬 사랑이라는 단어를 말하기 시작했다. 먼저 말한것은 내쪽으로, 나는 이 여성이 어쩌면 내가 앞으로 인생을 계속 하는데 필요한 에너지가 될 것이라는 것을 본능적으로 파악한 것일지도 모른다. 어쩌면 이 지루하고 무의미한 삶에서, 하나의 태양이 되어 줄지도 모른다는 생각을 하였다. 나는 이 사람을 놓치기 싫었다. 단순히 친구 관계가 아닌, 서로가 서로를 탐하기를 바랬다.

그녀는 말했다. "좋아요. 하지만 조건이 있어요."

그녀는 분명 같은 서울에 있었지만, 나와 당장 만남을 가지길 거부했다. 그녀가 말하길 "2개월 이후 저는 제주도로 여행을 갈 건데, 그때 만나도록 해요. 그때까지는 우린 만날 수 없어요. "조금 요상한 조건이었지만 뭐 그리 오래 걸릴 거 같지는 않았다. 겨우 2개월뿐인데…

나는 그녀에게 다시 사랑을 말했다. 그녀도 내게 사랑한다고 말했다. 그렇다 우리는 이제 연인인 것이다.

우리는 이제 서로 사랑을 말한다고 서로에게 계속 속삭였다. 메신져로, 메신져의 음성 메세지로. 가령 이런 것이었다. "나는 너를 너무 사랑해, 사랑해서 견딜수가 없어. 당신만 있다면 나는 너무나도 행복할 거야 아니 지금도 행복해 당신과 나누는 이 순간이 너무 달콤해서 정신을 잃을 거 같아." 내겐 이 순간순간들이 너무나도 절실하였고 또한 달아올랐었다.

처음에 그녀가 내 걸었던 제주도 여행까지 만나지 말자라는 말이, 지금 와서는 너무 가혹한 말이 되었다. 분명 서울 어디 근처에 살 것인데, 왜 만나지 말자라는 걸까? 하지만 약속이었다. 약속이어서 더 캐묻기는 싫었다. 어렵사리 얻은 소중한 관계를 잃을 수가 없었기에.

세상에 빛이 내리기 시작했다. 적어도 나에게는 말이다. 원래부터 세상은 썩어빠진 곳이고, 나는 태어남을 당한 존재일 뿐이다. 인생은 불합리하고, 어느 누구도 내게 손을 뻗는자는 없었다. 완전한 흑색에 그저 언제 죽을지 주사위를 굴리던 나는, 드디어 나만의 태양을 발견한 것이다. guardiantenshi 바로 그녀 말이다.

그녀와 나는 날이 갈수록 점점 친밀 해졌다. 그녀는 일본에서 왔으며, 이 한국에서의 타지인으로서의 삶이 얼마나 힘든 지를 이야기했고, 나는 그녀의 힘듬에 공감을 하며 그녀의 지지대가 되기로 결심했다. 더 나아가 그녀와 영원히 함께 있을 것을 약속했고, 이윽고 결혼하여 가정까지 만들자는 이야기까지 오고 갔었다. 나는 진심으로 그녀를 사랑했다. 나를 움직이게 하는 유일한 동력원을 발견한 것이다.

그녀는 미래에 대해서 말하는 것을 좋아했다. 나에게 그녀의 부모님에 대해서 말하기 시작했다. 부모님은 양쪽다 의사였으며, 바빠서 그녀가 어릴 때 잘 돌봐주지 못했다고 했다. 그녀는 어릴 때의 불우함에 대해서 이야기했으며 그건 나도 마찬가지여서 서로의 과거의 이야기로 더 깊게 빠져들 수 있었다. 더욱더 사랑할 수 있었다. 하지만 나와 다른점은, 그녀는 여전히 그녀의 부모님을 사랑한다는 것이다. 그녀는 말했다. "자기가 부모님에게 보여드릴 수 있는 떳떳한 사람이 되길 바란다고 "나는 처음에 그 뜻이 무엇인지를 몰랐다.

그녀는 내게 말했다. "나는 연수입 60만에서 90만 달러를 벌어요." 이는 내 월급의 10배 이상에 해당하는 금액이었다. 그녀는 계속 말했다. "나는 당신이 나와 결혼하기에 적합한 사람이길, 그리고 부모님에게 보여드릴때 당당하길 바라요. 우리가 미래를 함께 꿈꾸기 위해서는 당신도 충분한 재산이 필요해요."

마치 나와 당신은 격이 다르다 라는 것을 선고받은 듯했다. 원래부터 꿈이었던 것처럼, 사실은 불가능한 관계라는 듯이. 하지만 채팅은 그렇게 끝나지는 않았다. "저는 투자 전문가예요. 저만 믿는다면 당신도 달라질 수 있어요. 같이 배우고 성장해요. "그리고는 말했다.

"이건 금융권에서만 비밀스럽게 공유되는 사이트예요. 당신에게만 알려드릴게요. 다른 사람들에게결코 알려주지 마세요."

그녀는 potro.com 이라고 링크를 보냈다. 그곳을 들어가 보니 일종의 코인 거래소처럼 보였다. 그리고 그녀는 내게 이 사이트에 현금을 어떻게 넣을 수 있는지 알려 주었다. 백만원을 넣어 보라고 하였다. 투자라니, 아직 우리는 만나지 않은 관계에서 이건 과연 맞는 것일까? 하지만 어차피 큰 금액이 아니라는 생각으로 백만원을 넣었다. 그리고 그녀는 내게 말했다. "나는 이제 투자 분석을 하러 가요, 내가 지시하면 Potro를 켜서 페이지 스크린샷을 보내 주세요"

그녀는 그렇게 말하고는 내 채팅을 더 이상 읽지 않았다. 무언가 이상한 기류가 흐른다. 그리고 시간이 지나자 그녀는 내게 말했다. "Potro를 켜 스크린샷을 보내 주세요. "나는 그녀의 지시대로 따라 스크린샷을 보냈다.

그녀는 바로 내가 보낸 스크린샷에서 ETH(이더리움)을 '사기' 버튼을 동그라미 버튼을 쳐서 전략 매수를 하라고 하였다. 나는 마치 꼭두각시 로봇이 된 듯양 전량 매수를 하였다.

"제 지시를 기다려 주세요"

나는 말 잘듣는 강아지가 된 느낌이었다. 약 10분 뒤, 그녀는 내게 말 했다. "Potro 를 켜 스크린샷을 보내 주세요." 나는 그대로 스크린 샷을 보내었다. 그녀는 거래 청산이라는 버튼에 동그라미를 쳐 스크린 샷을 다시 보내 주었다. 그리고는 메신저에서 "파세요." "파세요." "파 세요." 이렇게 약 3번을 쳤다.

나는 그렇게 해서 매도를 하였다. 23% 수익, 약 22만원 정도의 수 익이었다. 큰 금액은 아니었지만, 그렇다고 해서 이렇게 간단히 벌 금 액은 아니었다.

그녀는 그리고 스크린샷을 보내 주었다. 그녀가 따로 진행한 거래 의 내역이었고, 그 수익 금액은 약 1700만원에 달했다. 마치 지금 나 에게 그 금액이 있었더라면 이만큼은 벌 수 있었다는 아쉬움을 유도 하는 것처럼 보였다. 그녀는 채팅을 이어 나갔다. "지금은 투자를 하 기에 매우 적기에요. 저는 지금 포지션에서 당신이 300-500만원 정 도 투자 수익을 늘리길 권장해요." 마치 나만의 투자 분석가가 생긴 느낌이었다. 딱 내 수중에는 가용 할 수 있는 현금이 300만원이 있었 다. 어차피 의미가 없는 돈이다. 나는 그녀에게 먼저 감사를 표하고 싶 었다.

"나는 이게 오로지 당신이 해낸 거라는 것을 알아요. 자본주의에서 당신은 한송이의 꽃이야. 나는당신에게 감사해요."

"고마워하지 말아요. 이제 시작일 뿐이에요" 그녀는 채팅을 이어 나
간다

"우리는 같은배를 탔어요. 나는 당신이 매력적이고 가치있는 남자
라고 생각해요. 그런 당신에게 걸맞은 기회를 제공하는 것 뿐이에요.
이건 내일마저 이야기해요"

나는 알수없는 고양감에 휩싸였다. 드디어 내 인생은 선택받은 자
의 이야기로 전환된 것처럼 느껴졌다. 단 한 번도 선택 받지 못한 내
인생에 드디어 보상이 주어진 것이다. 이제 내가 할 것은 그저 guard-
iantenshi를 믿는 것만 남은 것이다. 그와 동시에 그녀를 당장 만날
수 없다는 이상한 제약 때문에 나는 점점 답답해졌다. 나는 고마움을
표현하고 싶었다. 그리고 사실은 당장 그녀를 만지고 싶다. 하지만 나
는 그럴 수 없다는 사실이 마치 목구멍에 들어간 가시처럼 나를 조여
오고 있었다.

"이제 저는 목욕을 할 거 에요. 같이 함께 목욕해요." 마치 같은 욕
탕에 들어간 듯이 나는 그 시간대에 절대로 하지 않을 샤워를 하러 갔
다. 그리고 마치 그녀와 함께 있고 만지고 있다는 듯이 그녀를 욕정하
기 시작했다.

그녀는 자기 전 내게 말했다. "저는 당신과 함께 하는 날을 정말로

기대해요"

　잠에서 깨었다. 나는 어제 일어난 일에 대해서 잠에서 깨자마자 회상하듯이 다시 그려나가기 시작했다. 드디어 나는 일상으로부터 탈출할 수 있다는 희망이 내게 주어진 것이다. 구원이 시작되었다. 이제부터 내 모든 일상은 guardiantenshi를 실제로 만나기 전의 준비 단계로 전환되는 것이다. 그녀를 맞이하기 위해 부족한 모든 부분을 채워넣는것이 내가 해야 할 유일한 일이 되었다.

　나는 회사에서 다른 동료들을 보면서 또 알 수 없는 배덕감을 느끼기 시작했는데, 그건 그녀가 제시하는 대로 움직이기만 하면, 그리고 마침내 그녀를 만나 결혼을 하게 된다면, 이전에는 꿈도 꿀 수조차 없었던 삶을 살 것이고, 이는 평범한 동료들의 삶과는 크게 차이 날 것이라고 상상했기 때문이다. 나 자신의 집, 행복한 가정, 아이들, 마당에서 키우는 리트리버 등 모든 것을 그저 타인의 것이라고 상상만 했던 것이 드디어 내 것이 된다는 그 기대감은 내 내면속에서 꿈틀거리며 다른 사람들에게 들키지 않도록 나는 하루 종일 눌러 담아야 했다.

　그녀와의 만남은 내게 너무나도 고양되는 순간이었고, 너무나도 감사한 것이었기에, 나는 이따금단문의 글을 써 그 감사함을 전달하였다. 가령 "당신을 만난건 내게 너무나 큰 행운이야. 당신의 존재로 인해서 하루의 희망을 느꼈고 삶을 살아가는데 큰 동력을 얻었어. 당신이 그리는 미래에 하루빨리 동참하고 싶어. 나는 지금 당신을 만질 수 없지만 당신이란 존재를 느끼고 있어. 이전에 내 삶에서 불안을 느꼈다면 지금은 전혀 그렇지 않아. 당신과 함께라면 나는 삶의 끝까지 함께 할 자신이 있어"

그녀는 이 문장을 읽고 큰 감동을 느꼈다고 했다. 나는 내 사랑을 받아주었다는 느낌과 함께 그녀에 대한 사랑이 더욱더 커져감을 느꼈다. 이제 그녀가 없는 내 삶을 상상할 수도 없을 만큼.

퇴근해서 그녀에게 300만원을 준비하고 Potro에 이체 해 두었다고 말했다. 그녀는 잠시 투자 분석에 들어간다고 하였고, 다시 이더리움을 사고 잠시 기다렸다. 나는 일전에 차트는 보긴 했으니, 매도 타이밍을 보기 전에 거래소에서 차트를 보았는데, 얼마 지나지 않아 차트의 분봉이 엄청나게 상향하는 것을 보게 되었다. 주식이었으면 기절할만큼의 상승률이었다. 그러자 얼마 지나지 않아 그녀는 이전에 했던 것처럼 "파세요" "파세요" "파세요"를 3번 말했다. 이건 그만큼 급박하다는 의미겠지. 나는 매도를 하였고 내 손에는 약 90만원의 이익이 주어졌다. 이건 확실히 매우 큰 금액이었다.

나는 내 수익에 사실 매우 기뻐했다기 보다는, 그녀의 묘한 투자 전략이 신기하기만 했다. 아 그녀는 기관 소속이라 설마 자신이 투자하는 금액 이상을 굴리는 것인가? 라고 내 머리속에서는 상상만 할 뿐,

그 진위에 대해서는 가늠할 수 있을 정도로 머리가 굴러가지 않았다. 이 투자 금액에 대해서 감사함을 느꼈을 때, 그녀는 다시 그녀가 투자한 포지션에 대해서 스크린샷을 보내 주었다.

그 수익은 약 2250만원. 이것 대로라면 그녀는 약 1억 이상을 굴렸다는 의미가 된다. 그리고는 그녀는 "지금은 투자하기 정말로 좋은 시기이고, 그리 오래가지 않을 것이에요. 저는 이번 투자로 2250만원의 수익을 보았어요." "당신도 가능해요."

그리고는 이렇게 말했다. "당신의 투자 금액을 5천만원에서 1억 사이로 늘리길 권장해요"

예상을 하진 못했다. 아니 예상하지 못한 나 자신이 바보였던가? 지금 약 500만원으로 이리저리 늘려 보았자 그 돈은 사실 얼마 불어나지 않을 것이다. 그러니 그녀에게서 투자금을 늘려야 한다는 소리는 당연하게 나올 것이라고 판단 했어야 했다. 하지만 내게 그런 돈이 지금 있는가? 그런돈은 없다. 그렇다고 해서 그녀의 말에 싫다 라는 말도 하기 싫다. 하지만 내가 그런 돈을 가져올 수 있는 유일한 방법은 대출 뿐이다. 나는 위험을 무릅써야 한다. 나는 이런 위험을 겪어 본 적이 없었다.

그녀는 채팅으로 ?를 쳤다. 내가 반응하지 않는 것에 대한 재촉이겠지. 나는 현재 그런돈이 없다고 그녀에게 말했다. 그러자 그녀는 내게 대출을 알아보라고 말했다. 그리고 재차 "이자율은 신경쓰지 마세요. 투자로 얻을 수 있는 금액에 비해선 매우 작은 소액일 뿐이니깐. 그러니 최대 한도로 얻을 수 있는 대출 금액을 알아보세요. "내가 겪어야 하는 위험이 마치 별것 아닌 것처럼 이야기해서 나는 속에서 뭔가 뒤틀린 느낌을 받았다. 일단 나는 내일 한번 알아보겠다고 이야기했다. 그녀는 "한국의 대출 시스템에 대해서는 잘 모르니까 자기에게 맡길께요." 라고 무신경하게 말했다.

이 고민은 내게 너무나도 큰 걸림돌이 되었다. 나는 약을 먹었음에도 불구하고 이것 때문에 잠들지도 못했다. 대출을 알아보았는데, 내 신용과 상태로 할 수 있는건 1년만기에 1억원이 최고였다. 만약 무슨 일이 생긴다면, 내 능력으로는 시기 내에 값을 수 없는 돈이었다. 만약에, 만약에 이게 사기라면, 나는 돌이킬 수 없는 강을 건너게 되는 것이다. 나는 계속 생각을 했다. 투자실패에 대한 리스크도, 사기에 대한 가능성보다도, 나는 왜, 왜 그녀를 내가 만날 수 없는지를. 제주도 여행까지의 2개월은 길수도, 짧을 수도 있는 시간이다. 하지만 이런 중대한 사안 앞에서, 나는 여전히 그녀에게 닿을 수 없었다.

결국 밤을 새웠다. 나는 극심한 피로를 느끼며 회사에 출근했다. 최근에는 의지하지 않아도 되었던 에너지 드링크를 꺼내 마셨다. 탄산이 내 위를 적시면서 그와 동시에 내 머리에 안개가 걷히는 느낌을 받앉다. 그리고서 구름들 사이에 풍선처럼 떠오른 단 한 단어, 그리고 이미 여러 번 내 뇌리 속을 스쳤지만 항상 부정했던 그 단어, 바로 사기였다.

드디어 그 단어, 생각하고 싶지 않았던 모든 퍼즐들이 한군데로 모이게 되었다. 그녀는 왜 나랑 만날 수 없는가? 서울에 있는데, 나는 이렇게 힘겨운 리스크를 져야 하는데, 왜 나는 그녀랑 만날 수 있는 권리가 없는가? 그녀는 내 10배의 연봉을 받는사람인데, 왜 내가 돈을 벌어야 할 필요성이 있는가? 이미 투자로 그만큼의 수익을 얻는 사람인데, 내 작은돈이 도대체 왜 필요한가 말이다. 이건… 사기일 수밖에 없다.

내 머리는 배신감 보다 이상한 고양감에 쌓여서 나를 흔들리게 만들었다. 지금까지의 400만원, 이건 버리는 돈이다. 괜찮다. 하지만 앞으로 더 나가서 대출을 하게 되면, 이제는 내가 감당할 수 있는 상황이 아니다. 나는 그녀에게 물을 수밖에 없었다.

"당신, 앞 단계로 나아가기 전에 내 의심을 하나 풀어줘. 그건 당신이 너무 나에게만 완벽하기 때문이야. 나는 사실 돈에 대해서는 이때까지는 나에게도 굳이 리스크가 없었어. 그냥 남은 돈이었으니깐. 하지만 당신은 모르겠지만 나같은 서민은 이건 큰 도박에 해당해. 그래서 오늘 상상해 보았어. 만약 이 모든것이 거짓이라면? 일단. 당신에게 나라는 존재는 너무나도 매리트가 없어. 우리는 서로를 위하고 진심 서로를 배려 했다고 생각하지만 그 기간이 너무 짧아. 그리고 당신은 나를 위한다고 했지만, 이런 돈에 대한 관계는, 특히 아무리 생각해도 나에게 큰 이득이 있는 이 관계는 너무나도 이상해. 이런 적은 내 인생에서 단 한번도 이루어 진 적이 없고, 앞으로도 요원할거야. 나는 고민을 했어. 내가 돈이 많아지는게 왜 나의 성장이고, 우리의 꿈에 한발짝 다가가는건지. 당신이 말한 당신에 대한 정보가 사실이라면 나의 돈이 얼마가 불어나든 큰 메리트가 없는거잖아. 당신은 어찌되었든 돈이 많으니. 물론 내가 돈이 적으므로 인해서 내가 당신에게 어울리지 않는 사람이 될거라는 상상도 해 보았어. 하지만 우리의 이 지금의 관계에서 지금의 금전적인 관계는 내가 봤을땐 비 정상이야. 그래서 대출은 물론이거니와 앞으로의 금전적인 거래도 하지 않을거야. 그것때문에 당신이 나와 멀어진다고 한다고 하면... 나는 슬프지만 그걸 받아들일래. 내겐 너무나도 과분한 당신이야."

나는 그녀가 보통 채팅을 보기 시작하는 시간보다 한참 이른 때에 이렇게 장문으로 써 보내었다. 그녀는 보통 오후 4시부터 채팅을 읽기 시작하는데, 자신의 일이 보안을 요구하는 일이라 핸드폰을 쓰는데 시간 제약이 있다고 했기 때문이다. 하지만 답변이 온건 3시였다.

"이게 무슨뜻이에요?"
"우리의 관계는 돈으로 이루어진 관계인가요?"

-나는 네가 실존하는 사람인지 궁금해

"그게 무슨 뜻인가요? "

-나는 너를 만날 수가 없어. 그러함에도 불구하고 나는 앞으로 내가 큰 위험을 져야 하는데, 실제로 기대어야 할 수 있는 사람을 볼 수 없다는 게 문제야

"나는 여기 있어요. "

-이 채팅 안에서 일 뿐이야. 아주 취약한 공간. 이 공간이 닫히면 나는 너와 영영 만날 수 없어

"내가 당신을 떠난다는 말인가요? 그리고 내가 당신을 속인다는 말을 하는 건가요? "

차마 그렇다고 말할 수 없었다. 그것을 말하는 순간 진짜로 그녀와의 관계가 영영 끊어질 것 같았기 때문이다. 나는

-당신을 의심하는 것은 아냐, 하지만 당신을 지금 만날 수 없는 상황은 내게 너무나도 이상해, 그리고 꼭 당신과의 관계에서 이런 금전적인 관계가 있어야 하는지 나는 잘 모르겠어. 그래, 당신이 말한 자격 있는 상대는 되지 못할지도 몰라. 하지만 서로 사랑하는 관계로서 계속 할 수 있지 않을까?

"당신은 나를 금전적인 관계로만 바라보고 있었군요"

-아니야 그게…

"알겠어요. 당신과 더이상 금전적인 관계를 하지 않겠어요."

분명 내가 원하는 답이었다. 하지만 그 말을 들었을 때 나는 후련했

다기 보다는 불안이 더욱 더 커지게 되었다. 더 나아가서 이제 그녀와 해어지게 되는게 아닐까 하는 것 말이다.

"나는 우리의 관계를 위해서 이 일을 하는 거예요, 저만이 아니라 우리와의 관계, 미래를 위해서 말이에요."

-응 알고 있어. 나는 당신이 해 준 모든 것들이 선의에서 비롯된 것을 의심치 않아.

-하지만, 나는 당신을 너무 만지고 사랑하고 싶은데, 그럴 수 없다는게 너무 큰 고통이야.

"자기, 약속했잖아요. 제주도에서 여행할 때, 같이 만나는 것으로 말이에요. 완벽한 순간을 위해서 좀 더 참아 주실 수 없나요?"

-이미 자기는 완벽해, 그 이상 완벽할 수가 없다고

"나는 수영을 못해요. 그리고 아직 한국어도 능숙지 않다고요. 나는 당신을 만날 즈음에 보다 완벽한 한국어를 구사하고 싶어요"

-내가 도와 줄게, 내가 필요한 건 당신을 만나는 것뿐이야.

"그만! "

이대로 관계는 끝나는 건가? 당장에 드는 생각은 그것 뿐이었다. 하지만 guardiantenshi는 계속 말을 이어 나갔다.

"이해해줘요. 나는 모든 면에서 당신에게 완벽하고 싶어. 당신도 나를 그렇게 바라보잖아요. 여자의 마음을 해아려주세요. 그리고 제발, 진정해요. 우리의 사랑은 이렇게 나약한건가요? 이때까지 말했던 우리의 사랑은 다 거짓이었던 건가요? "

-아니 난……

-미안해, 생각이 너무 짧았어. 내 가난한 마음을 이해해 주길 바라

"당신을 이해해요. 당신의 상황과 고통, 제가 잘 알아요. 진정해요. 제가 하려는건 우리의 미래를 단단하게 만들려고 하는 거예요"

-당신은… 어떻게 이렇게 착할 수가 있어? 나를 이렇게 이해해주고, 받아주다니. 그래, 내가 잘못했어. 당신에게 만남에 대해서 더이상 재촉하지 않을게.

"나는 당신을 버리지 않아요. 절대로."

"나는 당신을 버리지 않아요" 그녀는 이 문장을 두번 말했다. 마치 내 마음 속 깊은 곳에 이 관계가 끝나는 것을 두려워하는 아이가 있는 것을 안다는 것 처럼.

-고마워… 정말로 고마워

나는 마치 어머니에게 어리광을 부렸다가 반대로 모든 것을 수용당해 눈물을 글썽이는 아이가 되어 버렸다. 의심? 아… 의심했던가? 그녀는 나를 버리지 않겠다고 했다. 내 머리는 이전보다 맑아진 것 같다. 그녀는 나를 받아들여 주는 유일한 사람이다. 모든 것이 명확하다.

나는 곧장 1억원을 대출하러 갔다.

그 이후는 일사천리였다. 하루에 약 천만원 씩 거래소로 이체를 시키면서, (그녀는 알 수 없는 거래 제한 때문에 하루에 보낼 수 있는 금액에 한도가 있다고 했다.) 그녀와 나는 정말로, 정말로 달콤한 하루를

매일 보내었다. 그녀와 나는 사실상 함께였다. 그녀는 종종 목욕하는 도중에 자신의 손과 발을 찍어 보냈었다. 거품에 가려져 모든 것을 볼 순 없었지만, 나는 그녀의 단편을 가지고도 충분히 음미할 수 있었다.

내 대출이 거래소로 녹아 들어가는 동안, 나와 그녀는 깊은 유대를 맺었다. 나는 내가 마음 아팠던 시절, 힘들었던 시절에 대해서 모든 것을 터 놓았고, 그녀는 그 모든 이야기들을 들어주고, 수용해 주었다. 이 시간동안은 내가 밝게 빛나는 듯 하였다. 하지만 점점 잔고가 줄어드는 돈들을 보면서 나는 알수없는 불안감이 차오르는 걸 느꼈다. 그럴 때 마다 원래는 먹어서는 안될 시간에 약을 먹기 시작했다. 나는 당신을 버리지 않아요. 그 말만이 내 머리속을 맴돌고 있었다.

대출을 받은 뒤 약 10일 후, 드디어 모든 돈들이 거래소로 이전되었다. 그녀는 오랜만에 투자 분석에 들어가서, 이전처럼 내게 지시를 내렸다. 내 수중에는 2900만원이 수중에 들어왔다. 이건… 이건 절대로 이렇게 벌 수 없는 금액이었다. 머리 속에는 미래에 대한 꿈들로 가득 치올랐다. 하지만 그 꿈에 빠지기 전에 먼저, 내가 해야 할 것은 그녀에 대한 감사다. 나는 그녀에게 말했다.

"이 모든 돈을 벌 수 있던건 당신 덕이야. 나는 이 돈은 원래 당신 것이고, 모두 당신을 위해 쓸 거야." 너무나도 강한 고양감 덕분일까? 나는 또 그녀를 만나고 싶다는 생각에 강렬히 사로 잡혔다. 그녀는 "이제 진짜 시작일 뿐이에요." 그러면서 다시 내게 그녀의 수익을 보여 주었다. 6000천만…원? 또 그녀는 더 투자금을 늘린 것이다. 그녀는 "투자 상황이 좋아지고 있어요. 저는 지금 대로라면 당신이 투자 금액을 1억에서 ~ 3억까지 늘리길 권장해요."

무슨 뜻인지 잘 모르겠다. 이미 나는 내가 할 수 있는 최대 한도를 빌린 상황이다. 그녀도 그걸 알고 있는거 아닌가? 그런데 왜 이런 말을 하는거지? 내 머리는 갑자기 통증을 느끼기 시작했다. "당신 지금 내가 할 수 있는 최대 한도로 이미 빌린 것이야. 이 이상은 정말로 무리야." 그녀는 어째서인지 답변해 주지 않았다. 약 2분간의 정적이 흐르는데, 그 정적은 나를 미치게 하기 충분한 시간이었다. 그리고 그 정적을 깨고 그녀는 다시 말하기 시작했다. "정말로 최선인가요? 지금의 투자 흐름에서 투자금을 늘리지 못하는건 기회를 잃는것을 뜻해요. 제 3 금융권을 한번 알아보세요. 이율은 신경쓰지 마시고요, 투자금에 비하면 이 이율은 사소해요."

나는 시키는대로 인터넷으로 이율들을 알아보기 시작했다. 이리저리 평균적으로 20%. 이 숫자는 정말로 돌이킬 수 없는 수치들이었다. 이미 발을 담근 상태였지만, 나는 그녀가 한 제안이 사실은 내 안위따위는 상관하지 않은 것들이라는 것을… 의심하게 되었다. 하지만 이미 내 1억은 거래소에 들어간 상태이다. 그녀를 믿지 않는 다는 선택지도 믿는다는 선택지도 모두 늦은것 아닌가? 나는 나만의 확신이 필요했다.

-대출을 알아보겠어. 하지만 조금 시간이 걸릴 것 같아.

"응 알겠어요 자기. 이 모든 건 우리의 미래를 위해서예요"

대화를 끝내고, 내 머리속에는 다음과 같은 시나리오가 그려졌다. 지금의 금액을 거래소부터 출금하고 나서, 더 이상 투자하지 않겠다고 이야기하고, 이걸 빌미로 그녀와 만나겠다는 계획이었다. 그녀에게는 미안하지만, 나도 내가 원하는 걸 그녀에게 이끌어 내고 싶다는 욕망이 지금은 가득했다. 나는 확신을 원했다. 그녀를 만나고 내가 만질수만 있다면, 이 도박은 해 볼 만했다. 나는 거래소로부터 전액 인출하였다. 하지만 바로 인출되지는 않는다. 어째서인지 인출상황 옆에 승인 대기중이라는 표시만 있는 채로 인출이 되지 않았다. 나는 그날 밤을 세웠다.

버스에서, 지하철에서 사람들이 가득차 찌그러지는 상황에서도, 계단을 위태롭게 걸어 나가면서도, 나는 폰을 놓지 않았다. 오로지 그 글자, 승인대기라는 글자만을 계속 바라보고 있었다. 회사에서도, 나는 일은 하지 않고 계속 폰만을 바라보고 있었다. 이렇게 바라보면서 내 머리속은 점점 의식이 옅어지기 시작했다. 약도 먹지 않았다. 에너지 드링크도 마시지 않았다. 그럴 여유가 없이 내 의식은 오로지 승인대기라는 글씨에 그저 몰두해 있었다.

아무런 걱정이 없는 것처럼 연기를 하며 밥을 먹고 나서, 다시 나는 거래소를 보았다. 그리고 승인 대기라는 글씨가 바뀌어 있는 것을 보았다.

승인 거절 – 사유: 고객 센터로 문의하세요.

순간 머리의 신경들이 끊어지는 느낌들을 받았다. 고객 센터… 고객 센터라는 것도 있었나? 거래소에서 고객 센터를 클릭해 보니, 라인 아이디 potro001 이라는 것만 덩그러니 적혀 있었다. 너무나도 허름한 모양새에 어처구니가 없었지만, 일단 이 아이디를 라인에서 검색해 보니 있는 것을 알았다. 바로 나는 고객센터에 다음처럼 문의하였다. "안녕하세요, 제가 출금을 하려고 하는데, 승인 거절이 났고, 고객센터로 문의 하라고 해서 오게 되었습니다." 그리고는 전혀 읽을 낌새가 없었다. 그와 동시에 그녀에게서 채팅이 왔다. "어때? 오늘 대출은 어떻게 진행되고 있어?"

"음 좀더 알아봐야 할 거 같아. 나중에 은행을 방문 할 건데, 좀 더 나중에 알려줄께." 은행따위는 방문하지도 않았고, 그런 곳이 있는지도 알아보지 않았다. 하지만 일단 이리저리 둘러대고 그 망할 고객센터에서 답변을 주길 기다리고 있었다. 그녀는 내 상황은 알바가 아니라는 듯이, 계속 채팅을 이어 나갔다. "응 이건 우리 미래를 위해서 정말로 중요한 거야." 나는 평소에는 그녀와의 대답에서 자기야, 사랑해와 같은 분에 넘치는 감정들을 표현하기 바빴지만, 지금은 전혀 그럴 수가 없었다. 단답으로 응, 응 이런식으로 대답하고 계속 고객 센터를 바라 보았다.

그녀는 이 상황을 짐짓 눈치챈건지 이렇게 말하였다. "지금 자기가 내게 이야기 하는 것들이 왠지 차갑게 느껴져." 나는 아마 거짓말을 못 하는 사람일지도 모르겠다. 하지만 지금 중요한건 그게 아니다. 왜냐 하면 고객센터에서 응답이 왔기 때문이다. "무엇을 도와드릴까요?" 라는 대단히 정석적인 시작. 하지만 내 id를 알리고 사유를 말했을 때, 그가 말한건 다음과 같았다. "고객님의 계좌는 불온전한 인출행위로 인해서 현재 동결 처리 되었습니다. 해당 동결 처리를 풀기 위해서는 현재 계좌 자금의 20%를 추가로 입금 하세요" 그리고는 마치 볼일을 다 봤다는 듯이 고객센터는 더이상 내 물음에 답하지 않았다.

무슨 뜻이지? 내 돈을 인출하는데 무슨 불온전한 행위? 그리고 인 출하는데 또 금액을 입금해야 하는 건 무슨 뜻이지? 그 고민을 알아 주는지 모르는지 guardiantenshi에게서 계속 메세지가 쌓이고 있었 다. 모든 정황, 모든 상황이 내가 현재 사기를 당했다는 것을 말해주고 있었다. 나는 결국 인신공양의 제물에 불과 하였고, 내가 분노해야 할 대상은, 바로 지금 계속 메세지를 보내고 있는 guardiantenshi인 것 이다.

"당신" 짤막하게 모든 메시지를 끊고 내가 말을 시작했다. -거래소의 내 계좌가 동결이 되었어, 그저 출금만을 했는데, 어째서인지 계좌가 동결되었고, 그 계좌를 해지하려면 계좌 총액의 20% 를 입금하라고 해. 내가 봤을 땐 이건 사기야. 나… 나는 이 상황을 생각하고 싶지 않았는데, 당신, 나를 속인거지?

"무슨 말을 하는거죠? 갑자기? 정말 이해할 수가 없군요. 당신이 싸늘해 진 이유가 바로 여기 있었군요. 여기는 단기 거래소에요, 당신의 행동은 충분히 의심을 살 만해요. 동의 없이 인출을 진행한 데다가, 저를 의심하다니요? 정말 당신은 어처구니가 없군요."

여태까지 와는 너무나도 다른 반응이었다. 그리고는 마치 남의 일이라는 듯이 "거래소의 계좌 동결을 풀기 위해서는 그 금액을 지불해야 할 필요가 있어요. 해당 금액을 지불하면 아무런 문제가 없을 거에요." 라고 마치 아무런 문제가 없는 듯이 말 하였다.
　-당신은 나를 버리지 않는다면서, 이건 갑자기 뭐야. 이 모든 행동, 접근은 결국 내 돈만을 빼먹기 위해서 한 거야? 우리가 나누던 사랑의 이야기, 그건 도대체 다 뭐였던 거야?"

"나는 당신을 사랑해요. 하지만 당신이 나를 믿지 않는다면 아무런 소용이 없어요." 나는 계속 내 감정을 쏟아 내 보았지만, 어째서인지 더이상 그녀에게로부터 답장은 오지 않았다. 나는 버려진건가? 또?

이렇게 끝낼 순 없다. 맞아. 그녀의 직장, 그 은행으로 가 보자. 나는 당장 연차를 내고 바로 그녀의 직장으로 향했다. 가는 길에도 끊임없이 나는 그녀에게 메세지를 보냈지만, 그녀에게로부터 연락이 오는 법은 없었다. 설마 차단 당한건가? 결국 내가 예상하던대로 나는 버려질 운명이었던가? 나는 이런 결말을 상상만 한 잘못밖에 없는데, 어째서인지 그대로 들어맞는 것인가? 너무나도 내게 충격이 큰 건지는 몰라도, 이 상황에서 오히려 나는 졸음이 오기 시작했다. 마치 오히려 이 상황이 내게 원래 주어져야 할 상황인 것처럼 편안하게 다가오기라도 한 것인가?

스지모토 은행, 그녀가 말하길 여기서 근무한다고 했다. 한국의 지사로서 내가 사는 곳으로 부터 지하철로 한시간이면 도착하는 거리였다. 이렇게 가까웠는데 나는 겨우 이제서야 이곳에 도달하였다. 안내 데스크에 가서 나는 그녀의 이름을 말하였다. 하지만 데스크의 그녀는 내게 말하길, "죄송하지만 그런 사람은 해당 부서에 존재하지 않아요." 라고 내게 이 모든 이야기의 결론을 담담히 전달하였다.

아. 하하하. 하하하하하. 내 돈, 내 신뢰, 내 사랑, 내 목숨 모든 것들이 결국 거짓된 관계에서 놀아난 것이다. 나는 내가 값을 수 없는 빚더미에 가라 앉은 걸로 모자라 배신당하고, 사랑받을 수 없는 자신의 존재를 다시금 증명해낸 것이다. 채팅방에 욕을 적어도, 그녀에게서는

아무런 반응이 없었다. 나는 그렇게 그냥 간단히 버림받아 버릴 존재이고, 무시당해 버리는 존재였던 것이다.

졸음이 몰려온다. 죽고 싶다 라는 말 보다 먼저 마치 모든 것을 예견하던 것처럼 졸음이 쏟아져 온다. 이것이 한 이야기의 종장이라는 것처럼, 이제 이야기가 끝났으니 잠이나 자라는 것인가? 나는 본래 결코 오지 않을 곳인 이곳에서 퇴장하여 쓸쓸히 집으로 돌아가기로 했다. 너무나도 졸리기에, 우선 잠을 자고 생각해야 할 것 같다. 하지만 생각한다고 해서 별 해결책이 있겠는가? 혹시라도 이게 꿈일지도 모르니 잠을 잔다면 모든 것이 허구로 끝나지 않을까?

돌아가면서 나는 결코 답하지 않을 그 채팅방에서 그녀가 나에게 다시 되돌아올 것이라는 망상을 하면서 집이 아닌 그 공간으로 도피했다.

10시간 뒤, 내 모든 비명과 절규의 메시지에 읽음 처리가 되었다. 나는 확인하자마자 다시 원망과 비난을 쏟아 내었다. 그녀는 그 글들을 읽으면서 이렇게 이야기했다.

"다시는 다른 사람을 믿지 말아요."

세계평화

이영웅

이영웅　글을 쓰는 사람도, 옮기는 사람도, 읽는 사람도, 잠시 숨통이 트였으면 하는 바람으로 글을 씁니다. 더 욕심을 내자면 제 글을 읽고 나서 조금이라도, 한 꼬집만큼이라도 더 강한 사람이 되었으면 하는 바람입니다.

email: welkdf@naver.com

1

"떡볶이에 치즈를 추가하는 것은 세계의 평화를 위한 일이야."

핸드폰을 들어 떡볶이 사진을 정성스럽게 서너 장 정도 찍은 뒤 희연이가 말했다.

사박사박 눈 위를 걷는 발소리, 분주하게 김밥을 싸는 주인아주머니, 바깥 날씨와는 달리 열기로 가득 찬 떠들썩한 매장 안의 분위기, 그리고 그 모든 것을 감싸며 코끝을 자극하는 매콤달콤한 떡볶이 냄새. 그 중심에서 환하게 웃으며 단발을 찰랑거리던 희연이는 의기양양하게 턱을 치켜들며 말을 이어갔다.

"나는 항상 세계의 평화를 위해 힘쓰고 있어. 삼겹살을 먹고 볶음밥을 주문해서 철판 쓱쓱 긁어먹는 것도, 비 오는 날에 빗소리를 들으며 김치전을 프라이팬에 구워 먹는 것도, 붕어빵을 항상 슈크림 맛과 팥맛 2개를 사서 한입씩 베어먹는 것도 모두 세계의 평화를 지키기 위한 노력이야."

"그럼, 강아지를 번쩍 들고 〈라이온킹〉 OST를 부르는 것도 세계의 평화를 지키는 건가?"

"하하 강아지 못살게 굴지 좀 마. 만약 그게 너를 그 순간 행복한 사람으로 만든다면, 맞아, 그것도 세계의 평화를 지키는 행위인 거야."

나는 그게 세계평화랑 무슨 상관이 있냐며 웃었고, 그녀는 그런 나의 반응이 재미있다는 듯이 미소를 지으며 젓가락으로 떡볶이 하나를 집고는 말했다.

"우리 같이 세계의 평화를 지키자."

2

세계평화를 지키고자 맹세했던 그 겨울의 향기는 순간 오묘한 꼬순내로 바뀌기 시작했다. 냄새를 의식하기 시작하자 이윽고 거친 표면을 지닌 어떤 말랑한 물체가 내 코끝을 살짝 스치며 오가는 게 느껴졌다. 애써 눈에 힘을 주자 안개처럼 뿌옇게 번져 보이던 그것은 점차 뚜렷한 형태를 갖추기 시작했다. 오돌토돌한 표면을 지닌 검은색 젤리 발바닥, 그리고 그 발등을 덮은 짙은 검은색 털, 그건 개의 발, 심지어 빨간 망토를 두르고 있는 개의 발이었다.

"야 빨리 일어나!"

개는 금방이라도 나를 물어뜯을 것 같은 표정으로 짖어댔다.

어리둥절해하고 있는 나를 향해 개는 월월하며 짖더니, 날카로운 이빨로 나의 옷자락을 물고 잡아당기기 시작했다.

나는 뒤뚱거리며 일어서려다가 미끄덩한 슬라임 같은 표면에 발을 헛디뎌서 넘어졌다. 물컹물컹한 표면에 엉덩방아를 찧고 손을 들어 보니 침 같은 게 끈적끈적하게 달라붙어 질질 흐르고 있었다.

"으… 이게 뭐야."

"뭐긴 뭐야 혀지. 야 시간 없어 빨리 일어나! 냄새 안 나?"

개는 촉촉한 초코칩과 같은 검은 코를 씰룩거렸다. 그러고는 짧게 한숨을 쉬고는 턱을 치켜들어 앞을 가리켰다. 개의 시선에 따라 뒤를 돌아보았다.

홍수였다. 그것도 알코올 홍수.

색감과 냄새로 보아 위스키 종류인 것이 분명했다. 예전에 아버지 진열대에 있던 위스키를 몰래 마셨던 기억이 있다. 향도 독하고, 맛도 쓰고, 무엇보다 목이 타오르는 듯한 느낌이 너무 고통스러웠다. 괜히 마셨다는 생각이 들어 화장실에 가서 양치했을 정도로 독했던 위스키, 그 위스키가 홍수를 이루어 나를 향해 넘실거리며 빠르게 덮쳐오고 있었다. 그리고 홍수 안에는 원통형의 방파제가 있었다. 아니 다시 보니 방파제보다는 뭔가 다른…

"그렇게 여유롭게 관찰할 시간 없어 이 모자란 놈아, 살고 싶으면 달려!"

개는 마치 히어로처럼 멋스러운 빨간 망토를 펄럭이며 달리기 시작했고, 나도 그제야 정신을 차리고 헐레벌떡 뒤따라갔다. 개는 똥구멍을 벌렁거리며 열심히 달리면서도, 이따금 뒤돌아보며 내가 잘 따라오고 있는지 살피기도 했다. 꽤 특이한 종이라고 생각했다. 꼿꼿이 세워져 있는 귀에, 꼬리가 위로 말려있는 것으로 보아 진돗개 같은데, 또무늬를 보니 검은색 털을 바탕으로 간간이 짙은 노란색도 섞여 있어약간 호랑이의 그것과 비슷했다. 백구, 황구 말고 다른 진돗개가 있는걸까? 진돗개니깐 이름이 진돌이려나? 아니면 진순이?

그렇게 개 똥구멍을 보며 이런저런 생각을 하고 있는데 진순이가 급작스레 멈춰 섰다. 나도 따라서 속력을 낮추다가 엎어졌다. 약간의 욕을 하면서 얼굴에 잔뜩 묻은 점액을 닦고 정면을 응시하니, 거대한 살덩이로 이루어진 벽이 우리를 가로막고 있었다.

상수와 했던 약속은?

공간을 가득 메우는 낯선 음성이 들려왔다.

"뭐야 갑자기 어디서 나온 소리야?"

나는 이리저리 두리번거리면서 소리의 원천을 찾으려 애썼고, 살덩이 문에 다가가 만져보기도 했다. 역시나 예상했던 대로 끈적끈적한게 기분 나쁘다.

"야 뭐해 빨리 대답해, 지금 우리 홍수에 덮쳐져 죽게 생겼어!"

진순이는 나를 향해 사나운 이를 드러내며 맹렬하게 짖기 시작했다.

"상수와 했던 약속이 뭐냐고!"

3

작년 여름, 창밖에는 비가 추적추적 내리고 있었고, 교실은 습기와 분필 가루 냄새, 그리고 고등학교 아이들의 풋내로 가득 차 있었다.

선생님이 적는 것을 매의 눈으로 좇으며 필기하는 아이, 필기하는 척하면서 낙서하는 아이, 그 옆에서 꾸벅꾸벅 졸고 있는 아이, 그리고 졸고 있는 아이의 머리에 종이 뭉치를 던지는 아이.

직선으로 날아간 종이 뭉치는 머리에 맞고 튕겨 나가 빈 책상 위에 떨어졌다. 얼마 후 종이 울리고 점심시간이 되자 아이들은 빠르게 교실을 뛰쳐나갔고, 누군가가 빈 책상과 부딪히는 바람에 뭉치는 힘 없이 바닥에 떨어졌다. 데구루루 굴러가는 뭉치를 멍하니 쳐다보았다.

"야 뭉청아 뭘 그렇게 멍을 때리고 있어?"

나는 화들짝 놀라 고개를 들어 두리번거렸다. 나의 이름이 이응 받침으로 끝나는 것과 '멍청이' 단어를 혼합하여 '뭉청이'라고 나를 놀려대던 목소리의 주인공은 아무리 찾아도 어디에도 없었다. 그야 그럴 것이 상수는 2달 전에 죽었고, 내가 신내림을 받은 게 아니라면 상수를 다시 만날 수 없기 때문이다. 나는 조심스레 상수 책상의 위치를 교정해 주고는 교실 밖을 나섰다.

우산을 챙기고 운동장에 나가서 상수와 자주 시간을 때우던 시멘트 계단에서 멈춰 섰다. 물방울을 머금은 시원한 바람, 어디 있는지 모를 개구리의 애처로운 울음소리, 습기를 머금은 풀내음 등이 피부를 통해 느껴졌다. 천천히 눈을 뜨고 하늘을 멍하니 바라보는데 순간 의문이

들었다. 내가 이런 일상을 즐길 자격이 있는 걸까.

상수는 나의 친구이자 형이었다. 중학교 시절부터 같이 맞고, 같이 뛰고, 같이 웃으며 나의 곁을 지켜주었다. 그런데 정작 상수가 가장 힘들 때 나는 곁에 있어 주지 못했다. 상수의 죽음을 막을 수 있지 않았을까? 답 없는 질문이 허공에서 맴돌았다.

[죽음이 감히 우리에게 찾아오기 전에, 우리가 먼저 그 비밀스러운 집으로 달려 들어간다면, 그것은 죄일까?]

셰익스피어의 문구는 나에게 위로가 되어주었다. 상수를 다시 만날 수 있는 하나의 가능성을 제시하는 느낌이 들어서였다. 만나서 해주고 싶은 말이 많다. 하지만 막상 죽음을 실행에 옮길 용기가 없었던 나는, 천재지변이나 불의의 사고에 의한 나의 최후를 상상하며 시간을 보냈다. 한 번에 목숨을 앗아갈 만한 사고, 예를 들어 술에 취한 운전자가 운행하던 대형덤프트럭이 신호를 무시하며 달리다가, 횡단보도를 건너던 나를 덮친다면 아픔도 느끼지 못한 채 그 자리에서 즉사하지 않을까라는 상상.

이런저런 사망 시뮬레이션을 돌리고 있는데 누군가 툭툭 어깨를 쳤다.

여름 바람에 알맞게 휘날리는 짙은 검은색 단발머리, 방금 막 세탁해서 나온 듯한 새하얀 교복 셔츠, 무릎까지 오는 회색 치마, 그리고 색이 조금 바래진 남색 스니커즈 신발. 희연이었다.

"또 어떻게 죽는 게 좋을까 궁리 중이지?"

희연이는 미간을 좁히고는 과장되게 화내는 표정을 하면서 나를 노려보았다.

"그런 거 아니야."

나는 대답을 하고는 우산을 씌워주었고, 그녀는 자연스럽게 내 옆에 섰다. 희연이는 마치 방안을 환히 빛 추는 촛불과 같았다. 그 무엇으로도 채울 수 없을 것 같은 상실을 그녀는 그저 옆에 함께 하는 것만으로 나를 충만하게 만들었다. 우리는 한동안 말없이 하늘에서 쏟아지는 빗물을 조용히 바라보았다. 습기를 조금 머금은 희연이의 장미향이 나의 마음을 쉬게 하였다.

"어느 날 상수가 온몸에 멍이 든 채로 학교에 와서는 우리에게 했던 말 기억나?"

희연이는 바람에 부는 머리카락을 귀 뒤로 쓸어 넘기며 말했다.

"항상 웃으면서 시답잖은 농담만 하던 애가 그날만큼은 진지한 얼굴로 우리한테 말했지, 약속 하나만 하자고, 어떠한 불행이 있어도 산다는 것을 포기하지 않기로."

그날 상수의 눈빛이 지금도 나를 쳐다보는 듯했다. 따뜻하면서도 애원하는 듯한 눈빛.

"맞아. 상수는 가장 힘들 때도 우리를 웃겨주려 노력했어. 심지어 그날도 자기가 바둑이가 됐다면서 강아지 흉내를 냈었지."

살짝 웃음이 새어 나왔다, 희연이도 따라 웃으며 말을 이었다.

"지금의 너를 봤으면 분명 '뭉청뭉청'이라면서 놀려댔을 거야. 세상에 재미있는 일이 얼마나 많은데 언제까지 그렇게 축 처져 있을 거냐면서. 그래서 말인데......"

희연이는 분홍색 가방을 주섬주섬하더니 사진첩 하나를 꺼내었다. 캐릭터 스티커를 잔뜩 모아놓은 사진첩이었다. 그녀는 큰 눈이 반달이 되도록 환하게 웃으며 스티커를 두 개 집어서 내 손에 쥐어주었다. 나는 손바닥 위에 올려진 스티커를 멍하니 바라보았다. 하늘색 동그란 원 안에 빨간색 망토를 단 개 한 마리가 날고 있었고, '세계평화!'라는 문구가 큼지막하게 적혀 있었다.

"우리 상수가 질투할 만큼 재미있게 살자. 우리 세계의 평화를 지키자!"

4

"상수는 어떠한 불행이 있어도 살아가길 바랐어!"

내가 외치자, 살덩이로 된 벽은 점액을 뚝뚝 떨어트리며 불쾌한 소리와 함께 열렸다.

"멍때릴 시간 없어, 어서 달려!"

위스키 홍수가 위협적인 소리를 내며 바로 뒤까지 따라붙었고, 물방울이 튀기면서 등을 적시기 시작했다. 그렇게 한동안 어디로 향하는지도 모른 채 이를 악물며 열심히 달리다 보니 커다란 낭떠러지가 우리를 맞이하고 있었다.

"당황해하지 마! 저기 너머에 발판 보이지, 그게 후두덮개야, 거기까지 점프하면 돼.”

개는 뒤를 돌아보며 외치고는 속력을 올리더니, 긴 팔다리를 쭉 뻗어 완벽한 포물선을 그리며 날아올랐다. 마치 슈퍼맨처럼 빨간 망토를 휘날리며 후두덮개에 사뿐하게 안착했다.

“제발 성공, 결코 성공!”

나의 비상과 동시에 위스키 홍수는 내가 있었던 자리를 잠식하고는 낭떠러지를 향해 폭포처럼 쏟아져 내렸다. 나는 40대 중년 남성의 뱃살과 같은 완만한 곡선을 그리며 날아갔고, 얼굴을 미끄덩한 살덩이에 부딪히고는 손을 허우적대며 덮개를 움켜잡았다. 개는 재빠르게 달려와 나의 옷자락을 물고는 힘껏 잡아당겼고, 허공에서 다리를 개구리처럼 움츠리고 뻗기를 몇 번 반복하고 나서야 겨우 덮개 위로 올라갈 수 있었다. 살았다는 안도감으로 온몸에 긴장이 풀려서 그대로 드러누웠다. 아직 숨도 고르지 못했는데 진순이의 잔소리가 들려왔다.

“지금 쉴 때가 아니야 멍청아, 시간이 없으니깐 내가 하는 말 잘 들어.”

진순이는 허리를 꼿꼿이 펴고 마치 군인처럼 각 잡힌 정자세로 앉아서 말을 이어 나갔다.

“네가 너무나도 좋아하는 희연이가 위스키와 약으로 자살 시도를 했고, 그 위스키 홍수가 지금 희연이의 위胃를 향해 빠르게 진군하고 있어. 위스키 홍수가 몸 안에 과다하게 흡수된다면 희연이는 알코올과 약물 과다 복용으로 인한 부작용으로 죽게 돼. 그래서 우리는 한시라도 빨리 희연이의 위에 도착해서 설치된 폭발물의 버튼을 ‘틱’하고 눌러야 해. 그러면 '쾅'하는 폭발로 인해 위스키와 알약은 역류하기 시작할 거고, 역류는 '웩'이라는 소리와 함께 구토로 이어지고, 그러면 희연을 살릴 수 있어. 다시 말해 '틱, 쾅, 웩' 작전!"

"틱쾅웩? 아니 그 전에 희연이가 갑자기 왜 자살 시도를 한 거야?"

내가 아는 희연이는 어떤 이유가 있든 간에 그런 선택을 할 사람이 아니다. 거짓이 분명하다.

"어, 틱쾅웩. 이유는…… 나중에 알아보고 일단 빠르게 움직이자, 너 번지 점프해 본 적 있어?"

"안 해봤어. 갑자기 번지…"

진순이가 순간 몸통 박치기를 해왔고, 나는 배영을 하는 사람처럼 양팔을 허우적대며 충격을 버티려 했지만, 타액으로 가득 찬 표면을 발로 차며 무력하게 낭떠러지로 나동그라졌다. 몸 안에 장기가 훅 떨어지는 기분 나쁜 감각과 함께 쉭쉭 거리는 바람 소리가 귓등을 때렸다.

"이게 번지 점프야."

진순이가 무표정으로 읊조리며 따라 뛰어내렸다. 진정한 공포는 존엄성을 무자비하게 먹어 치웠고, 나는 비명조차 지르지 못한 채 모든 구멍에서 수분이 빠져나오는 것을 경험했다.

불행에도 불구하고 살아야 하는 이유는?

"이 와중에 또 어디서 질문을 하는 거야."

참지 못하고 뱉어낸 갖가지 욕이 낭떠러지에서 메아리쳤다.

5

나뭇잎이 원래의 색을 찾아가는 시기가 왔을 때쯤 새로운 습관이 생겼다. 틈만 나면 책상에 붙여진 '세계평화!' 스티커를 매만지며 어떻게 하면 재미있게 살 수 있겠느냐는 고민을 하게 되었다.

물론 그렇다고 사람이 쉽게 바뀌는 것이 아니기 때문에, 종종 죽음에 대해서 고민하기도 했으나, 그럴 때마다 희연이는 입꼬리를 쭉 내리고는 나의 말투를 따라 하면서 '죽음은…. 죄일까!'라고 말하고는 어깨를 들썩이며 웃어댔다.

우리는 벤치에 앉아서 과자를 먹으며 풍경을 감상하기도 하고, 운동장 원을 따라 걸으며 이런저런 수다를 떨기도 했다. 담임 선생님의 탈모 진척도부터 어머니의 갱년기 우울증으로 인한 약 처방까지 다양한 주제에 관해서 대화를 나누었다. 희연이는 항상 자상함이 묻어있는 미소로 나의 고민을 들어주었다.

어느 날 문득 '아무리 힘든 일이 있어도 계속 살아가야 하는 이유는 뭘까?'라고 물었을 때도 희연이는 입술을 살짝 오므리고는 나의 눈을 지긋이 바라보며 말했다.

"가끔은 삶이 그만한 가치가 없게 느껴질 때도 있고, '슬퍼할 친구와 가족들을 위해서라도 버텨봐!'라는 말이 전혀 와닿지 않을 만큼 본인의 고통과 무력감이 한없이 클 때도 있을 거야. 그런데도 삶을 포기하지 않아야 하는 절대적인 이유는…… 나도 솔직히 잘 모르겠지만, 내 생각에 사람은 약간 바보라서, 과거의 나쁜 것들보다 좋은 것들을 더 많이 기억하게 되는 거 같아. 그 당시에는 정말 죽을 만큼 힘들었던 일도 시간이 흐르고 과거가 되면, '아 맞아 그런 일이 있었지'라며 회상하는 무수한 일 중 하나가 될 거라는 거야."

희연이는 잠시 미간을 좁히며 고민을 하다가 눈이 서서히 커지더니 말을 이어갔다.

"우리가 어린 시절을 회상할 때를 생각해 봐. 길을 가다가 넘어지고는 무릎이 까져서 엉엉 울 때, 우리는 세상 그 누구보다 서럽게 슬퍼하지만, 그 고통의 기억은 희미해지고, 어머니가 우는 우리를 달래려 사준 구구콘의 시원한 느낌과 초콜릿의 단맛을 더 선명하게 기억하잖아."

희연이는 마치 그 맛을 지금 음미하고 있는 사람처럼 눈을 감고 행복한 표정을 지었다.

"그니깐 지금 네가 느끼고 있는 감정이 삶의 전부라고 절대 생각하지 마. 그 감정에 너를 잠식시키려 하지 마. 돌이켜 보면 너의 곁엔 항상 구구콘이 있었을 거야."

"내 곁에 구구콘이라……."

나는 조용히 읊조리고는 멍하니 희연이의 얼굴을 쳐다보았다. 그러자 희연이는 나를 보며 환하게 웃어주었다. 순간 가슴이 쿵 하고 내려앉는 기분이 들었고 황급히 희연이의 눈을 피했다.

"왜 구구콘은 취향이 아니야? 메로나로 해도 상관없어."

희연이가 쑥 고개를 들이밀며 말했다. 그러자 장미 향이 은은하게 풍겨왔다. 나는 얼굴이 빠르게 달아오르는 것이 느껴져서 벌떡 일어나

헛기침했다. 그러고는 마음을 잠시 가다듬고 말했다.

"아니야 나도 구구콘 좋아해. 그냥 왠지, 그 말을 들으니깐 마음이 편안해졌어."

희연이는 '그렇지?'라고 대답하며 핸드폰을 꺼내서 이리저리 노래를 찾더니, 원하는 노래를 재생하고는 과장된 움직임을 하며 음악에 따라 춤을 추기 시작했다.

나는 그녀의 몸짓에 웃음이 터졌고, 희연이는 왜 자기 춤을 보고 웃냐면서 같이 웃음이 터졌다.

6

칠흑 같은 어둠이 조금씩 밝혀지면서 낭떠러지의 끝에 살덩이로 된 문이 희미하게 보였다. 이대로 떨어진다면 아무리 말캉한 살덩이라 할지라도 죽음, 혹은 죽었으면 할 정도의 골절 부상을 얻게 될 것이다.

"불행에도 불구하고 살아야 하는 이유는 구구콘이 있기 때문이야!"

필사적인 나의 외침에 반응한 살덩어리 문은 천천히 열리기 시작했고, 우리는 가까스로 그 틈새 사이로 통과했다. 틈새로 빠져나오니 밑은 강으로 이루어져 있었다. 짙은 황갈색 위스키 강.

풍덩 하는 소리가 두 번 난 후, 우리는 허우적대며 수면 위로 떠올랐다. 콧구멍으로 들어온 위스키가 너무 독해서 연신 기침해댔다, 냄새만으로도 취할 거 같아 정신을 차리기 어려웠지만, 필사적으로 눈을 뜨고 이리저리 살펴봤다. 처음에 봤던 그 방파제와 같던 물체를 자세히 보니 알약이었다. 어머니가 먹던 항우울증약과 같은 하얀색 동그란 알약. 나는 술 냄새를 견디며 필사적으로 헤엄을 쳤고, 알약 위에 올라타고 나서야 겨우 숨을 골랐다.

진순이도 나를 향해 헤엄쳐 왔다. 나는 힘껏 진순이를 알약 위로 들어 올렸다. 진순이는 격하게 몸을 털고는 그대로 바닥에 널브러져서 숨을 가쁘게 헐떡거렸다.

"괜찮아?"

"개는 냄새에 예민해서, 이런 독한 향에 더 취약해. 너무 걱정하지 마, 조금 쉬면 괜찮아질 거야."

진순이는 연신 혀로 코를 핥아대다가 곁눈질로 나를 쳐다보며 말했다.

"너는 희연이가 뭐가 그렇게 좋아? 없으면 죽을 정도야?"

"무슨 소리야 내가 갑자기 희연이를 왜 좋아해."

"어휴 솔직하지 못한 놈. 이런 겁쟁이가 나의 주인이라니."

"뭐라고?"

7

호구라는 종이 있다고 한다. 진돗개의 한 종류인데, 호랑이 무늬의 개라는 뜻으로 호구虎狗이다.

기록적인 한파라는 뉴스가 보도되던 작년 12월 어느 날, 아버지가 아는 지인으로부터 분양받아 온 호구를 처음 본 순간 '호구 놈!'이라고 외친 것은 사춘기 고등학생으로서 불가항력이었다.

라면을 끓이시던 어머니가 부엌에서 나와, 진돗개이기도 하고 마침 지금 먹으려고 하는 것도 진라면 순한 맛이니깐 이름을 진순이라고 하자고 말씀하셨다. 당시에는 모두 반대했지만, 그 외에 생각나는 이름도 딱히 없기도 하고, 부르다 보니 입에 익어서 결국 호구 놈은 진순이가 되었다.

진순이는 아직 새끼 진돗개라서 귀는 반이 접혀 있었고, 꼬리도 말리지 않은 평평한 형태였다. 처음 본 낯선 환경에 겁을 먹고는 몸을 부르르 떨고 있어서, 천천히 등과 배를 만져주었더니 꼬리를 살랑거리며 내 손을 핥아주었다.

진돗개들은 사회성이 매우 떨어진다. 어릴 적 보살핌을 받은 가족들 외에는 모두 경계하고, 낯선 상대에 대한 적대감이 매우 강하다. 그 대신 충성심이 높아서 밤에는 잠을 자지 않고 순찰하며 가족들을 보살피고, 용감하고 대담해서 맹수와 마주쳐도 겁먹지 않는 모습을 보여준다.

그렇다고 모든 진돗개가 다 같지는 않다. 무엇보다 주인에 대한 충성심 부분에서 호구 놈, 아니 진순이는 그렇지 못한 모습을 보여줄 때가 종종 있었다. 1주일도 되지 않아 환경에 적응한 진순이는 집안 곳곳을 활개 치고 다니며 휴지를 물어뜯어서 방을 어지럽힌다던가, 낮잠을 자는 나의 고막에 큰 소리로 울부짖어서 깨운다던가, 낑낑대며 신발을 신고 있는데 엉덩이를 깨문다든가 하는 식으로 나를 괴롭히기 시작했다.

방과 후 우리 집에 놀러 와서 강아지를 구경하고 싶다는 희연이의 말에 나는 너무 놀라서 순간 말을 더듬거렸지만, '그러지 뭐'라며 아무렇지 않은 척 응했다. 우리 집에는 상수랑 자주 놀러 오기도 했었는데, 지금은 달랐다. 구구콘에 관해서 이야기했던 날부터 희연이에게 다른 감정이 싹트기 시작했고, 그 마음은 도무지 억누르지 못할 만큼 만개해서 나를 지배하기 시작했다. 하지만 친구 사이가 틀어질지도 모른다는 두려움 때문에 나의 마음을 숨겨야만 했다. 이런 감정 때문에 희연이까지 잃을 수는 없다.

집으로 가는 길에서도 대화에 집중하지 못했다. 방은 깨끗한가? 진순이는 묶어 놔야 하나? 나 또 얼굴 빨개지고 있는 건가 등등의 잡념이 떠나질 않았다.

어머니는 희연이를 반갑게 맞아주셨다. 그러다 나의 얼굴을 보시더니 순간 멈칫하셨고, 뭔가 알아차렸다는 표정으로 게슴츠레한 눈을 하며 묘한 웃음을 지으셨다. 그러고는 과일을 깎아주시겠다고 방에 들어가서 편히 놀라고 하셨다.

주인을 반기러 온 진순이도 순간 멈칫하며 조금 놀란 표정을 지었다. 강아지를 한 번이라도 길러본 사람들은 알겠지만, 그들도 사람만큼 다양한 표정을 짓는다. 화난 표정, 언짢은 표정, 서운한 표정 등등. 진순이는 경계하듯 촉촉한 코를 킁킁거리며 희연이의 냄새를 맡기 시작했다.

"네가 진순이구나 얘기 많이 들었어." 희연이가 웃으면서 진순이에게 인사했다.

진순이는 조금 갸우뚱거리며 희연이와 나를 번갈아 보았고, 나는 간식을 조금 꺼내고는 진순이를 데리고 희연이와 함께 내 방으로 들어갔다. 진순이가 있어서 그래도 다행이라고 생각했다. 단둘이 방에 있었다면 분명 심장이 터지든 얼굴이 터지든 뭐 하나는 '펑'하고 터져버렸을 것 같았다. 강아지라는 존재는 얼마나 소중한가. 덕분에 나의 긴장도 조금씩 풀리기 시작했다.

희연이는 간식을 조금씩 떼어서 진순이에게 주었고, 그러자 진순이도 어느새 꼬리를 살랑거리면서 희연이에게 애교를 부리기 시작했다. 희연이는 그에 더 신나서 진순이를 끌어안고 얼굴을 가져다 비비기도 했다. 진순이는 조금 언짢은 표정을 지었지만, 간식의 위력 덕분인지 촉촉한 코로 짧게 한숨을 내뱉고는 얌전히 있었다.

"진순이 선물도 준비했어. 짜잔!"

희연이는 주섬주섬 분홍색 가방에서 빨간색 망토를 꺼내 들었다. 그러고는 진순이 목에 둘러매고는 매듭을 지어주었다. 그러자 진순이는 고개를 좌우로 휙휙 돌리면서 망토를 입에 물고는, 빙그르르 돌기 시작했다. 나는 그런 진순이를 번쩍 들고 슈퍼맨처럼 날아오르는 시늉을 했다. 진순이는 잔뜩 신경질이 나서 마구 발버둥을 치고, 요란하게 고개를 돌리며 나를 물으려고 했고, 나는 진순이를 안은 채로 침대에 드러누웠다.

"진순아 세계 평화를 지켜줘! 하하하"

희연이가 웃으면서 침대로 다가와 내 옆에 앉으며 말했다. 나의 품에서 벗어난 진순이는 삐졌는지 양발로 내 배를 꾹꾹 누르기 시작했다. 매우 귀엽고 하찮은 정도의 힘이 복부에 미세하게 느껴졌다, 진순이는 내가 아프기를 바랐겠지만, 오히려 간지러워서 웃음이 나왔다.

"진순아 나도 도와줄게."

희연이가 말하며 갑자기 꾹꾹 내 배를 누르기 시작했다. 진순이와 다르게 확실하게 느껴지는 무게감, 은은하게 풍겨오는 장미 향기, 환하게 웃는 표정, 덩달아 신나 더 열심히 꾹꾹이를 하는 진순이. 나는 순간 얼굴이 화끈거려서 바로 자리를 박차고 일어나고 싶었지만, 동시에 또 이 장면을 조금만 더 오래 보고 싶은 마음이 들었다.

보고 있으면서도 보고 싶은 사람. 나는 그렇게 한동안 희연이를 바라보았다.

8

희연이와 했던 약속은?

"세계평화를 지키자."

알약 배를 타고 열심히 노를 저어서 겨우 육지에 올라오니 또 살덩어리 문이 길을 막고 있었다. 더 이상 살덩어리는 싫다고 말하는 나에게 진순이는 이게 마지막 관문이라고 했다. 질문에 대한 나의 대답이 끝나자, 문은 서서히 열리기 시작했다.

"진순아 잊고 있어서 미안해, 그리고 고마워, 너 덕분이었어."

진순이는 신경 안 쓴다는 표정을 하면서도 꼬리를 살랑 흔들고 있었다. 강아지들은 참 불편하겠다, 자기의 마음을 숨길 수 없어서.

"고마워하기에는 아직 일러. 얼른 너부터 살리자."

"응 무슨 말이야? 우리 희연이 살리러 가는 거잖아."

진순이는 대답을 하지 않은채 묘한 정적을 남기고 앞서 달려가기 시작했다. 위는 이미 발목이 잠길 정도로 위스키가 차 올라와 있었다. 위의 중앙에는 투명한 점막으로 감싸여진 거대한 통이 있었는데, 통 안에는 갈색 초코 아이스크림에 캐러멜 시럽과 땅콩이 들어가 있었고, 군데 군데 콘 과자도 들어 있었다.

"자 이제 저기 스위치를 누르면 끝이야, 틱쾅윅… 어라?"

진순이가 뒤를 돌아보며 외치다가 통 하단에 도착하더니 그대로 멈추어서 말을 잇지 못했다. 나는 조금 의아한 마음이 되어 진순이 옆으로 다가가서 확인해 보았는데, 스위치가 있어야 할 장소는 살덩이가 한 겹 덮여 있었다.

"여기 스위치가 살덩이로 덮여 있는데? 아까 마지막 관문이라면서 또 있었네."

나는 튀어나온 부분을 만져보았다. 아까부터 열었던 문과 같은 질감이 느껴졌다. 진순이는 촉촉한 코를 벌렁거리면서 귀와 꼬리가 모두 살짝 내려간 채 불안한 표정을 지었다.

순간 음성이 들려왔다.

희연이는 살아있어?

"희연이는 당연히 살아있지."

이제 버튼만 누르면 이 지긋한 장기 투어도 끝이고, 희연이도 살릴 수 있다. 그나저나 왜 자살 같은 걸 하려고 한 거지, 희연이는 그런 선택을 할 아이가 아닌데.

손가락 관절을 꺾으며 살덩어리 문이 열리길 기다리는데, 아까와는 다르게 문은 열리지 않았다.

"뭐지? 음성 인식이 안 된 건가? 희연이는 살.아.있.다!"

문은 여전히 미동도 없었다. 진순이는 낑낑대는 소리를 내었다.

"야 진순아 이거 왜 안 열리지? 빨리 희연이를 살려야 하는데 미치겠네. 다른 트릭이 있는 건가? 반말로 해서 그런가? 희연이는 살아있습니다! 희연 IS ALIVE!"

나는 소곤거리기도 하고 엎드려서도 말해보았지만, 문은 열리지 않았다. 답답함과 초조함에 쫓겨 나는 살덩이를 손으로 잡고 뜯어내려 했다. 이를 악물고 양손에 힘을 가득 주며 꿈쩍 않는 살덩이를 당기는 순간, 프레스로 머리를 찍어 누르는 듯한 끔찍한 두통과 함께 의문이 들었다.

"진순아. 희연이네 가족들은 아무도 술을 마시지 않아서 집에 위스키는 없어. 그리고 우울증 약을 복용하는 사람도 없지."

"...... 어떻게든 구하려면 구할 수 있지 않았을까."

"그럴 수도 있지, 하지만 너도 잘 알다시피 이 두 가지를 이미 가지고 있는 사람이 있어."

나는 천천히 고개를 돌려 진순이를 바라보았다. 진순이의 검은 눈동자가 조용히 나를 응시했다.

"이거 내 몸이구나."

9

눈이 많이 내리던 1월 어느 날, 나는 희연이와 떡볶이를 하나씩 집고는 건배하며 함께 세계평화를 지키자고 약속했다.

떡볶이를 먹고 거리에 나오니 눈이 제법 많이 쌓여있었다. 하얀 입김을 불고 있는 희연이에게 다가가 목도리를 매어주고, 바람이 들어가지 않게 외투를 정리해 주었고, 희연이 또한 나에게 똑같이 해주었다. 뽀드득뽀드득 소리를 내고 걸으며 대화를 나누기도 하고, 고요함 속에 쉬어가기도 했다.

해가 서서히 질 무렵, 희연이 집 앞 골목에 도착했다. 날이 추웠는지 희연이의 양 볼이 빨개져 있었다. 나는 손을 조금 비비고는 양 볼에 나의 손을 살포시 갖다 대었다. '많이 추웠구나?'라고 묻자, 희연이는 '너도 빨개졌어'라고 답하며 내 볼에 손을 갖다 대었다. 그렇게 잠시 서로 볼을 쓰다듬으며 눈을 마주친 채 웃었다. 희연이의 미소를 보고 있자니 가슴이 따뜻해졌다.

나는 더 이상 참지 못할 감정이 되어서, 뽀드득 소리를 내며 한발, 두발, 희연이에게 다가갔다. 항상 당차고 자신감 넘치던 희연이의 시선이 흔들렸다. 그런 그녀가 놀라지 않게 천천히 다가가 꽉 안았다. 흠칫하는 것도 잠시, 희연이도 팔을 올려 나를 폭 안아주었다.

귓가에 희연이의 부드러운 숨결이 느껴졌고, 따뜻한 체온과 향긋한 장미향이 내 몸을 가득 채우는 듯했다. 조용히 눈을 감고 희연이의 호흡에 속도를 맞추었다. 천천히 숨을 들이마시고, 내뱉고, 우리는 동일한 리듬으로 미세한 떨림을 나누었다.

시간조차 숨죽이며 우리를 지켜보는 듯했다. 조심스럽게 내리던 눈도, 하늘 위를 날아다니던 새들도, 빨래를 널던 아주머니도, 재잘거리며 떠드는 아이들도, 째깍째깍 움직이던 시계 침도, 세계에 존재하는 모든 것들이 멈춘 공간. 이대로 영원히 이어질 것 같은 평온함.

10

누군가 그랬다, 행복이란 불행 사이사이 존재하는 짤막한 광고와 같다고.

다음날 약속 시간이 한참 지났는데도 희연이는 장소에 나타나지 않앉다. 문자도 해보고 전화도 걸어봤지만 '띠띠'하는 소리와 함께 소리 샘으로 넘어갈 뿐이었다. 나는 걱정되는 마음에 희연이의 집을 찾아갔다, 그러나 집은 불만 환하게 켜져 있었을 뿐 아무도 없었다.

다음 날 희연이의 어머니로부터 연락이 왔다, 희연이가 죽었다고.

차 사고가 났다고 한다. 빨간색 덤프트럭이 인도를 넘어서 신호 대기 중이던 희연이를 덮쳤고, 이를 목격한 행인이 긴급하게 구급차를 불렀으나 도착했을 때는 이미 숨을 거둔 상태라고 했다. 시체의 상태를 봤을 때 트럭에 부딪히고 거의 바로 즉사했을 거라고 했다.

덤프트럭의 운전사는 적발 당시 혈중알코올농도 0.285%로 만취 상태였고, 나중에 전해 듣기로는 생활고에 관련된 절절한 사연이 있다고 했다. 상관없었다, 덤프트럭이 빨간색이든 파란색이든, 사연이 있든 말든, 만취든 정상이든, 상관없었다.

장례식장에서 희연이의 영정 사진을 보았다. 온 세상이 나를 대상으로 몰래카메라를 찍고 있는 거 아닐지 의심이 들었고, 순간 머릿속에 뭔가가 툭하고 끊어졌다. 눈물로 범벅이 된 희연이의 가족들과 친구들, 향을 피우며 절을 하는 지인들, 대여한 검은 정장을 입고 멍하니 희연이의 사진을 바라보고 있는 나. 상수에 이어서 희연이까지 떠나가 버렸구나. 찬찬히 내 얼굴을 쓰다듬어 보았다, 아무런 감각이 느껴지지 않았다.

4일이 지났을 무렵 방에 쪼그려 앉아 멍을 때리다가 문득 희연이가 나에게 매어주던 목도리가 보였다. 남은 겨울이 꽤 춥겠다는 생각이 들었다.

2주가 지났을 무렵 멍하니 학교에 갔다. 친구들의 소곤거림이 들렸고, 그런 소음들을 애써 무시한 채 자리에 앉았다. 책상 위의 스티커가 시야에 들어왔다. 이제는 색이 바래지고 벗겨지기 시작해서 '세계 평화!'라는 문구가 이제는 '세계 !'정도로만 보이고, 강아지의 빨간 망토 또한 윤곽 정도만 남아서 그저 어딘지 모를 곳으로 향해 점프하는 강아지로 보이게 되었다. 고개를 돌려보니 여전히 비어 있는 상수 책상이 보였다. 순간 나는 도저히 참을 수 없는 심정이 되어 교실 밖으로 뛰쳐나왔다. 상수와 앉던 계단을 뛰어 내려가고, 희연이와 걷던 운동장을 지나치고 교문을 나왔다.

날이 추워서인지 몸이 매섭게 떨려오고 심장이 주체하지 못할 정도로 쿵쾅거리기 시작했다. 진정시켜야겠다며 이리저리 두리번거리다가, 편의점에 들어가서는 구원자인 것처럼 구구콘을 양손에 꽉 쥐고는 밖으로 뛰쳐나왔다. 그러고는 정신없이 포장을 뜯고 구구콘을 한입 베어 먹었다.

차갑고, 따뜻하고, 뜨겁고, 달고, 쓰고, 시고, 짜고, 맵고, 행복하고, 우울하고, 화나고, 서운하고, 즐겁고, 신나고, 슬프고, 외롭고, 춥고, 따뜻하고……

몸의 떨림은 더욱 강렬해졌고 마비된 듯 저려오기 시작했다. 양손으로 팔을 꽉 움켜쥐어 보지만 몸은 도저히 진정되지 않았고, 떨림은 점점 심해져 나는 그만 구구콘을 땅에 떨어트리고 말았다. 낙하한 구구콘은 바닥과 충돌하여 으깨졌고, 나는 다리가 풀려 그대로 주저앉으며 손바닥으로 간신히 땅을 짚었다. 그렇게 땅에 떨어진 구구콘을 보며 일어설 수도, 그대로 엎어질 수도 없는 자세로 나의 모든 아픔을 쏟아내기 시작했다. 때 이른 봄비를 맞는 것처럼 구구콘은 조금씩 녹아들었다.

그 이후로 한 달간의 기억은 거의 나지 않는다. 울다가 피곤해지면 자고, 눈 뜨면 또 우는 일상의 반복이었다. 그러다가 어느 날, 잠시 감정이 잠잠해진 틈을 타고, 이성이 돌아오기 시작했다.

상수도 희연이도 틀렸을지도 모른다, 어쩌면 어떤 고통은 도저히 이겨 낼 수 없는 것인지도 모르고, 그런 고통을 이겨내면서 살아야 할 만큼 삶은 값진 것이 아닌지도 모른다. 나에게 있어서 가장 소중한 두 사람이 지금, 이 세상에 없다. 그렇다면 답은 간단하다. 만나고 싶으면 가서 만나면 된다, 죽음의 문으로 달려 들어가면 된다.

결심하고 다음 날, 나는 아버지의 양주 진열대에서 위스키를, 안방에서 어머니의 갱년기 항우울증약을 챙기고 방에 들어갔다. 진순이가 따라 들어와 조금 걱정되는 표정을 하며 낑낑 소리를 내었다. 나는 진순이를 안아서 거실에 살며시 내려놓았다, 어느새 많이 컸는지 귀도 쫑긋 세워지고, 꼬리고 말린 것이 이제 제법 진돗개다워졌다. 늠름해진 진순이를 천천히 쓰다듬으면서 가족들을 부탁한다고 말해주었다. 그러고는 방으로 들어와 문을 닫았다.

마음에 흔들림이 없는 줄 알았는데 막상 위스키와 알약을 보고 있자니 무서웠다. 너무 무서워서 도망치고 싶었다. 하지만 다시금 마음을 다잡았다. 얘들아 조금만 기다려.

눈을 질끈 감고 위스키를 들이부었다. 머리가 핑 돌면서 눈앞이 깜깜했다. 나는 멈추지 않고 알약을 한 움큼 쥐고는 입에 넣고 다시 한번 위스키를 부었다. 목이 타들어 갈듯한 통증을 느끼며 바닥에 쓰러졌다. 진순이가 필사적으로 낑낑대며 발톱으로 문을 긁는 소리가 들려왔고, 나의 의식은 서서히 희미해져 갔다.

11

"날 살리려고 거짓말을 했구나. 희연이는 이미 죽었어."

마지막 살덩이 문이 열리면서 그 안에 숨겨져 있던 스위치가 모습을 드러냈다. 진순이는 꼬리를 내린 채 슬픔이 가득 담긴 눈망울을 하며 나를 바라보았다.

"너를 살리기 위해서는 희연이의 몸이라고 말할 수밖에 없었어."

나는 진순이에게 다가가 꼭 안아주었다. 마음이 편안해지는 꼬순내가 풍겨왔다.

"이해해...... 그리고 미안해, 내가 원하는 건 이 세상에 없어. 나는 이 스위치를 누르지 않을 거야"

진순이는 조금 흐느끼며 말했다.

"희연이가 나에게 세계의 평화를 부탁한다고 했어. 그래서 너의 아픔이 얼른 낫기를 기원하며 몸을 바짝 너에게 기대 체온을 나눠주기도 하고, 정성껏 너의 얼굴이나 손등을 핥기도 했어. 나의 온기가 너의 다친 마음을 치유해 주기를 바라며. 그러고는 조용히 너의 눈을 쳐다보며 나의 마음을 전했어, 네가 슬퍼하는 거 나도 안다고, 내가 옆에 있으니깐 힘내라고."

"알아…. 미안해"

진순이의 눈을 바라볼 자신이 없어서 고개를 돌렸다.

"알면 살아야지 뭉청아."

나는 순간 소름이 돋아서 천천히 고개를 돌렸다, 그러자 어느새 상수와 희연이가 진순이 옆에 서 있었다. 주체할 수 없을 정도로 슬픔이 차올랐고, 이내 어린애처럼 엉엉 목 놓아 울었다.

그들은 다가와서 나를 꼭 안아주었고, 희연이가 나긋한 목소리로 말했다.

"너는 상수와 나와 했던 약속 모두 기억하고 있었어. 그래서 여기까지 다다를 수 있었던 거야."

"하지만 난 도저히 자신이 없어. 나 혼자서 약속을 지켜낼 자신이 없어."

"함께하지 못해서 미안해, 그래도 알지? 구구콘이 있다는 거?"

희연이는 나의 눈물을 닦아주고는 양 볼을 잡고 말했다, 내가 쳐다보자 힘껏 환하게 웃어주었다.

상수가 다가와 나의 양팔을 잠시 쓰다듬더니, 어깨를 꽉 잡고는 나의 눈을 쳐다보며 말했다.

"나와 희연이의 세계는 타의로 인해 파괴되었어, 그리고 우리는 이 이상 삶에 대해 알지 못한 채 저승으로 가게 되겠지. 술에 취하는 기분, 대학 생활, 해안가 드라이브를 하며 맞는 바람, 직장생활, 사랑하는 사람과의 애정행각, 아기가 처음으로 걸음마를 시작하는 순간의 벅차오름, 기쁨과 슬픔 속에 진행되는 자녀의 결혼식, 동반자와 함께 보는 손주의 재롱, 사랑하는 이들에게 둘러싸여 맞게 되는 인생의 마지막. 그 어떤 것도 모른 채로."

상수는 눈물을 그렁그렁하게 맺힌 채 환하게 웃으며 말을 이었다.

"그러니깐 약속해 줘. 최대한 많이 경험하고 오래 살아서, 모든 것들에 관해 이야기해 주겠다고."

순간 위스키 강이 범람하여 진순이와 친구들을 덮쳤다. 너무 순식간에 벌어진 일이라 붙잡을 새도 없이 그들은 강물에 따라 내장으로 떠내려가기 시작했다. 나는 바로 뒤따라 뛰어갔다.

"오지 마!"

상수가 외치고는 수면 아래로 가라앉기 시작했다. 진순이도 허우적대다가 '멍!'이라고 짖고는 자취를 감추고 말았다. 빨간 망토만이 수면 위로 둥둥 떠다녔다.

희연이도 물살에 휩쓸려 가다가 간신히 위벽을 잡았고, 입안으로 흘러들어오는 위스키를 필사적으로 내뱉으며 말했다.

"어려운 부탁인 거 알지만, 살아. 그리고 나를 안아준 그날 해주고 싶은 말이 있었어……"

희연이는 결국 위벽을 놓쳤고, 환하게 웃으며 마지막 말을 전했다. 희연이의 마지막 말은 강물 소리에 묻혀 들리지 않았지만, 입 모양으로 알 수 있었다. 희연이에게 가장 전하고 싶었지만 하지 못했던 말. 희연이도 나와 같은 마음이었구나.

나는 충동적으로 한쪽 발을 떼어서 희연이가 사라진 곳을 향해 내딛다가 이내 멈춰서는 몸을 떨었다. 얼굴은 눈물과 위스키로 범벅이 됐고. 위스키 강은 어느새 내 아랫입술까지 차올랐다. 내가 친구들을 잃은 슬픔을 이겨낼 수 있을까, 이 끝 모를 슬픔을 안고 갈 수 있을까.

낑낑대는 진순이의 소리가 멀리서 들려오더니 이내 위 벽이 움푹 들어갔다가 나왔다가를 반복했다. 소리가 외부에서 들리는 것으로 보아 진순이가 내 방으로 들어가, 쓰러져 있는 나를 발견하고 배를 꾹꾹 누르고 있는 모양이다. 새끼 때는 간지럽기만 했었는데 그새 많이 컸구나.

진순이의 눈망울, 그리고 위스키 냄새에도 불구하고 조금 남아있는 꼬순내의 잔향이 주는 포근함. 상수가 토닥여 준 등 그리고 간절한 표정으로 했던 부탁. 희연이가 볼을 잡고 보여준 웃음, 그리고 나에게 전해준 마지막 한 마디. 이게 나의 구구콘이구나.

나는 심호흡을 하고 강물 밑으로 뛰어들었다. 독한 냄새에 코는 마비되고, 눈은 타들어 갈 듯 고통스러웠지만 필사적으로 헤엄을 쳤다. 실눈을 뜨며 버튼을 향해 힘껏 손을 뻗었다.

어쩌면 이미 늦었을지도 모를 틱꽝웽 작전이 성공하기를 바라며.

12

기분 좋은 바람을 맞으며 눈을 서서히 떠본다. 눈 부신 빛이 순식간에 날 휘감는다. 손을 들어서 빛을 막아보지만, 쭈글쭈글한 손가락 틈새로 들어오는 빛은 막을 수 없었다. 눈을 살짝 감아 보니 기분 좋은 따뜻함이 느껴진다. 그리고 익숙한 장미 향과 함께 손에 따스한 체온이 느껴진다.

"어서 와 고생 많았어."

눈을 서서히 뜨니 희연이가 단발을 찰랑거리며 나의 손을 꼭 잡은 채 웃고 있었다.

"뭉청이가 할아버지가 다 되었네."

상수가 나의 머리를 헝클어뜨리며 다가와 살며시 안아주었다.

"너희들에게 해줄 이야기가 많아."

나는 친구들을 꽉 끌어안으며 말했다. 눈앞이 흐릿해지면서 심장이 뜨거워졌다.

"하나도 빠짐없이 다 들려줘."

우리는 그렇게 손을 잡고 걸으면서 아주 긴 이야기를 나누었다.

나의 체인징메이트 이야기

홍정아

홍정아　사람에 관심이 많아서 사람과 어울리기 좋아하고 사람에게서 감동을 잘 느낀다. 여러 모임을 이끌며 좋은 사람들 안에서 생에 대한 무한한 지지를 경험했고 나 또한 그들을 열렬히 격려한다. 친구가 '변화응원자'라고 했다. 스스로는 '변화디렉터'라고 한다. 스무 살에도 그랬고 여전히 꿈꾼다. 앞으로의 인생도 사람들을 도울 수 있는 일을 하며 살아가고자 한다.

프롤로그. 변화 이전의 나

스물아홉의 이른 봄날. 결혼식을 올리기 두 달 전, 다니던 직장과의 계약기간이 끝난 후 새로운 직장을 찾지 않았다. 당분간 취집이나 할까 했다. 고액의 연봉을 받진 않았지만 20대의 모든 시간 동안 경제활동을 해온 것을 나름의 훈장처럼 생각했다. 그러니 당분간은 남편에게 의지해 편하게 살아보고 싶기도 했고, 사회생활을 하면서 여러 가지 일들로 상했던 마음이 회복할 시간을 갖는 것도 필요하지 싶었다.

스물두 살 때부터 돈을 벌었다. 대학교에 재학 중이었지만 라디오 퀴즈 출연 후 방송국 측의 제안으로 운 좋게 방송리포터가 된 지역 MBC, 선배의 추천 덕분에 인턴기자로 일했던 메이저 신문사에서 첫 번째 사회생활을 시작했다. 그 후 지역 케이블방송, 행사 MC, 교육기업 대학사업팀, 대학교 특강강사, 취업컨설턴트, 병원컨설팅기업 CS 강사, 중견기업 고객만족팀과 사내방송아나운서를 거쳤다. 쉴 틈 없는 20대였다.

사실 한 가지 커리어를 꾸준히 쌓지 못했던 것은 취업준비에 절실하지 않았고 약간의 운을 언제나 크게 해석했기 때문이다. 대학방송국에 들어가면서 처음에는 학업과 별개인 취미처럼 시작했지만 어느 순간부터는 나의 대학생활을 그곳에 올인 했다. 쉽게 방송국에서 일을 시작하게 되었고 내 실력을 인정받았다고 생각했기에 취업은 언제나 어렵지 않을 거라는 오만한 생각을 했다. 그 후로도 노력보다는 회사 측의 선 제안으로 대부분의 커리어가 시작되었다. 절실함을 느낄 틈도 필요도 없었다.

　　언제나 사람이 좋아서 변화를 미룬 것도 부인할 수 없다. 학교 다니는 동안 천 명이 넘는 사람을 만났다고 생각했다. 일 덕분에 다양한 사람들을 만나는 것이 재밌었고 동료들과의 잦은 술자리가 즐거웠다. 크고 작은 행사에 초청되는 것도 좋았고 무대를 누비는 동안에는 내 인생이 언제나 그 무대 위에 있을 것만 같았다. 결혼을 하고서는 바로 임신을 했고 출산 후에는 문화센터에서 만난 친구들과 만나서 육아에 대한 노하우를 공유하고 고충을 나누고 함께 아이를 키우는 일에서 위안을 얻었다. 일에 대한 목마름은 있었지만 일상을 공유하는 사람들과의 하루하루가 훨씬 소중했다. 그러다보니 6년 동안 일을 쉬었고 미리 약속 잡지 않아도 동네에서 쉽게 마주칠 수 있는 애기엄마이자 수많은 조카들의 이모가 되어있었다.

　　내가 24살 때 대학교 출강에서 만났던 강사님은 월급통장이 10개 정도 된다고 했다. 앞으로 20개로 늘리는 게 목표라 했다. 돈이 들어오는 루트가 기껏해야 한두 곳인 내게 그 사실은 놀랍게 다가왔다. 대화를 나누면서 그분의 본인 인생을 대하는 태도에 영감을 받아, '예와 격을 갖춘 삶'이라는 말을 떠올리고 내 인생의 좌우명으로 삼았다. 나스스로 인생에 대해 예의를 갖추고 그에 걸맞게 행동한다면 지금보다 멋진 삶을 살게 되리라 확신했다. 그때부터 미래에 나도 N잡러로 살겠다는 꿈이 싹 텄던 걸로 기억한다. 그 시절 사용하던 노트를 보면 미래의 꿈이 일곱 가지도 더 적혀있었다.

친구들이 그랬다. 아기가 조금만 크면 내가 당연히 다시 사회생활을 할 줄 알았다고. 하지만 나는 이미 일을 6년이나 쉰 경단녀였고 지난 경력을 앞세워 복귀하기에는 나이도 들었고 사실 그보다는 트렌드에서 너무 멀어졌다고 생각했기에 자신도 없었다. 어찌 됐든 사회로 나가려고 마음을 먹고 보니 이십 대의 그 긴 시간 동안 내가 이력서를 한 번도 치열하게 써 본 기억이 없었다는 것을 알게 되었다. 삶을 너무 편하게 살아왔든가 혹은 되는대로 살아왔든가. 하지만 누구의 열정에도 뒤지지 않게 일했다고 자부한다. 취업과정이 쉬웠을 뿐이다. 강사 시절에는 새벽 6시 출근, 밤 12시 퇴근생활을 자처했다. 재밌어서 열심히 했고 강의안과 제안서를 만들면서 보람을 느꼈다. 사내방송아나운서 시절에는 방송국에서 배운 기술들을 써먹겠다며 본관과 신관, 별관을 합쳐 20층 넘는 빌딩을 종횡무진하며 직원들을 인터뷰해서 방송에 참여시켰는데 700명 직원 중 절반이 넘는 사람을 만났다. 시절, 시절, 매사 전력투구하며 살아왔는데 다시 일하고 싶은 아줌마에게는 내가 경험해 온 시절조차 꿈에 본 이야기 같았다. 직업인일 때의 나와 현재의 내가 전혀 같은 인물처럼 느껴지지 않았다.

스스로 진단하건대 그맘때 난 우울증이었다. 집안일도 육아도 여전히 익숙하지 않은데 책임은 대부분 나에게 할애되어 있었다. 조리원 언니가 육아를 하면서 자기 안에 자기도 몰랐던 미친 여자가 살고 있더라 했는데 그 느낌에 공감했다. 아침에 아이를 어린이집에 등원시키고 왔는데도 불구하고 남편에게 전화를 걸어 엉엉 우는 날이 반복됐다. 육아동지들을 만나는 동안 수다로 스트레스를 풀었지만 집에 돌아오면 또 집안일 전쟁, 육아 전쟁이었다.

다행인 점이라면 내가 나의 심리상태를 제법 정확하게 진단하고 있었다는 것이다. 그리고 극복하겠다는 의지도 충만했다. 덕분에 의료기관의 도움을 받지 않고도 극에 달한 우울감을 해결할 방법을 열심히 고민했다. 지난날의 열정적이었던 나를 끄집어내 앞으로 새로워질 나 앞에 세워두고 생각하니 지금 당장 변화해야 할 이유가 명징했다.

변화공유모임, 우리들의 변화일지

뚜렷한 목표 없이 오직 육아만 반복되는 삶을 탈피하기로 결정했다. 대부분의 육아를 함께 하는 친구들에게 먼저 이런 걸 해보자고 제안했을 때는 다들 관심이 없어 했다. 아이를 키우는 일만으로도 충분히 벅찬 것도 사실이었다. 나는 혼자보다는 함께 하는 일에서 동기를 얻는 사람인데…. 변화에 대한 목표 달성을 위해서는 나랑 비슷한 생각을 가진 팀원의 필요성이 컸다. 그리하여 사람들을 모을 프로젝트를 기획했다.

첫 번째로 한 일은 아파트 커뮤니티에 글을 올려서 멤버를 모집하는 것이었다. 과연 일면식이 없는 사람들로부터 글만으로도 호응을 얻을 수 있을까. 기대 반, 걱정 반으로 시작한 글쓰기였는데 결과적으로 탁월한 일이었다. 딱 4명만 모집해서 모임을 시작하고 싶다고 썼는데 하루 만에 목표인원이 모두 채워졌다.

그 즈음 친구의 사업을 도와준 일이 있다. 친구가 운영하는 클래스에 나가서 참가자들을 대상으로 강의를 한 적이 있는데 그때 친구가 이런 말을 해줬었다. "주변 사람 5명의 평균이 바로 나래!" 그 모임은 젊은 여성 사업가 모임이었고 그 사람들 속에 둘러싸인 친구가 멋지게 느껴졌다. 그리고 그날은 그 자리에 참석한 사람들로 인해 나의 현실이 어느 정도 들어 올려지는 것 같기도 했다. 아무튼 모임에 함께 하겠다고 연락을 준 사람들과 짤막하게 대화했고 아직 아무것도 시작하지 않았음에도 그들의 말하는 태도에서 이미 나는 무언가가 이뤄질 것처럼 좋은 예감을 느꼈다.

나를 제외한 나머지 세 사람은 모두 경제활동 중이었다. 아이를 키우면서 일도 했지만 바쁜 생활 중에도 삶에 일으키고 싶은 변화에 대한 갈망이 있었다.

신혜는 심판이라는 다소 화려한 직업적 명함을 가지고 있었지만 매일 출퇴근하는 평범한 삶과는 거리가 있었고 경기가 있을 때만 며칠씩 출장을 갔다. 그렇게 반복되는 삶 속에서 약간은 허무한 인생을 살고 있는 건 아닐까라는 생각을 했단다.

은진이는 대학병원 간호사였다. 일로 느끼는 사명감이나 삶의 의미도 컸지만 대형병원의 부속품으로만 쓰이는 느낌이 아쉬웠다. 자기 안에 잠재한 에너지는 그보다 큰데 간호사라는 프레임을 벗어던지면 분명 더 풍성한 삶을 이룰 거라는 막연한 갈증에 답답했다고 한다.

영주언니도 간호사였다. 병원 아니면 집인 일상이 바쁘지만 단조로웠다. 매일 보는 사람들만 만나는 생활이 지루하기도 했다. 서울에서는 직장생활 하느라 조리원동기를 만들지 못했고 이사를 와서도 일하느라, 또 아이를 단지 내의 교육기관에 보내지 않으니 동네 친구가 없었다. 생활을 바꾸게 할 미션들을 함께 달성해 나가면서도 삶을 나눌 친구가 있었으면 좋겠다는 마음도 변화모임에 참여하게 한 계기였다.

사람은 경험하는 만큼 생각하게 되는 걸까. 사회생활을 하는 사람들이 더 열심히 자기개발을 하고, 끊임없이 변화에도 목말라 보였다. 나는 백수 6년 차에 접어 들어서야 겨우 무언가를 해보려는 중인데 다들 나와 다른 세계를 살던 사람들 같았다. 알고 보니 우리는 우연히 나이도 비슷했고 자녀들은 또래였다. 어쩌면 비슷한 점들을 기반 삼아서 이 프로젝트를 성공적으로 해낼 수 있을지도 모른다.

이렇게 만들어진 우리의 이름은 □변화공유모임□이고 멤버들의 정체성은 '체인징메이트'다. 제1기 변공모의 활동기간은 6개월로 정했다. 그 기간 안에 각자 열심히 노력해서 어느 정도 원하는 목표에 도

달한 후 만족스럽게 해산하자는 것에 합의했다. 우리는 자기개발과 취미생활, 다이어트 등에 대한 목표를 세웠고, 다음 모임 때까지 열심히 목표실행을 한 후에 만나는 날 셀프평가를 했으며 다시 다음 목표를 선언했다. 처음에는 개인적인 목표 위주였지만 시간이 갈수록 자녀교육과 환경에의 관심, 다양한 인간관계 리더십 등에 대해서 함께 이야기 나누며 관심영역을 확장했다.

반년이라는 시간은 생각보다 빠르게 흘렀고 6개월 정도 활동해 보면 결과는 두 가지로 나뉘리라 생각했다. 개개인이 원하는 루틴의 설계와 실행이 충분했음에 만족한 채로 모임을 파하거나, 목표 달성 기간의 만족감을 토대로 프로젝트 기간을 연장하거나.

세 번째 예측 따윈 없었다. 처음부터 무조건 잘 되리라고만 생각했던 게 재밌는 부분이다. 의욕이 무척 충만했거나 너무 들떠서 나를 제외한 나머지 사람들에게도 다른 선택지는 생각할 겨를 따위 필요하지 않았던 거다. 이렇게 잘 맞는 사람들을 찾는 것도 어렵고 서로가 서로에게 에너지를 온전히 북돋아 주기만 하는 관계인 건 더 어렵다. 기특하게도 우리는 두 가지를 모두 해냈다. 긍정적인 에너지를 발산하며 놀라운 성과는 아니더라도 각자 가치관에 맞게 매일을 열심히 꾸려나가는 동료들 사이의 평균, 그 안에 살고 있는 내가 만족스러웠다.

우리는 나름대로 열심히, 남들이 볼 때는 소소한 것이더라도 목표를 갖고 살아냈다. 그래서 프로젝트 마무리 시점에 한 명도 빠짐없이 앞으로도 우리를 지속하자는 데에 동의했다. 마음속으로는 다시 변화를 갈망하는 또 다른 이들을 찾아야겠다는 생각으로 제2기 변공모에 대한 윤곽을 스케치할 참이었는데 그럴 필요가 없었다. 1기는 최초이면서 동시에 서로에게 완벽한 체인징메이트였다. 그렇게 우리는 지금까지 3년이 넘는 시간을 함께 해오고 있다.

긴 시간 그들을 겪으면서 가장 좋았던 점은 누가 어떤 제안을 하든 "좋아!", "좋아", "좋아!"라고 무한히 지지해 준다는 거다. 한 사람도 아니고 세 사람이나, 게다가 모든 사람이 좋다고 하는 힘은 정말 크다. 없던 힘도 생긴다. 모임리더인 나는 나름대로 어떻게 해야 우리가 같이 의미 있는 경험들을 할 수 있을까 고민하고는 했다. 책을 읽거나 강의를 듣다가 아이디어를 찾을 때도 있었고 한참을 고민하는 날도 있었다. 무언가를 제안했을 때 한 명이라도 싫다는 내색을 하면 기운이 쭉 빠지기 마련인데 체인징메이트들은 이렇게 말한다. "네가 하고 싶은 거 우리한테 다 해 봐! 우리는 다 따를게!"

그들은 내가 앞으로 다른 어디에서도 이런 일을 하는 '변화디렉터'가 되고 싶다고 말했을 때 모두 무한한 응원과 지지를 보여주었다. 자기발견 세미나를 진행했던 날에는 다들 이런 거 좋아하니까 앞으로도 해보고 싶은 게 있다면 자기들에게 시험적으로 해보라고 했다. 그 하루를 알차게 보낸 느낌이라고 다음에도 또 하자고 말해주는 게 정말 고마웠다. 비단 내가 아니라 다른 누가 제안을 해도 마찬가지다. 이 관계에서 어떻게 감정의 실패가 있을 수 있을까.

그동안 다양한 제안들을 했다. 감사의 감정을 기록하고 공유하는

'덕분에 챌린지'도 있었고 하루에 한 가지만큼은 꼭 나를 위해서 투자하자는 '나를 위해 챌린지'도 있었다. 세상에 맛있는 거 다 같이 즐겨보자며 조찬모임 리스트를 짜기도 했고 배우고 노력하는 엄마가 되자며 '엄마노트 쓰기'를 제안하기도 했다. 참 여러 가지를 시도했고 그때마다 우리의 프로젝트가 일정 기간 생명력을 얻을 수 있었던 건 체인징메이트들의 무한 "오케이!" 덕분이었다.

2020년 : 주간목표 선언

2020년 6월 15일. 처음 변공모를 시작했을 때, 우리는 2주일 단위의 주간 목표를 선언했고 활동 기간 내내 이 틀을 지속했다. 선언 후에는 개별로 하루에 주어진 시간을 자유롭게 안배하며 스스로 목표를 달성하기 위해 노력했고 저녁이 되면 채팅방에 목표 달성의 여부를 텍스트로 공유하면 되었다. 우리가 가장 처음 세웠던 목표들은 다음과 같았다.

[정아] 주5회 운동. 1일 1글. 하루 15분 책 읽기. 전화영어
[신혜] 식단 조절. 8시 이후 금식. 주5회 라이크핏. 실내 자전거 30분. 스트레칭
[영주] 실내 자전거. 계단. 라이크핏. 1일1팩. 밀가루 끊기. 기상 후 영어DVD 틀기
[은진] 아이와 책 15권 읽기. 계단. 간헐적 단식. 글쓰기. 내일로 미

루지 않기

　미션의 달성 여부는 개개인마다 또 날마다 달랐다. 평가는 다른 체인징메이트들이 해주는 것이 아니라 스스로 하는 것이었다. 우리는 그저 다른 팀원들이 어떻게 본인의 목표한 바들을 이루어 가는지 지켜보고 응원하는 역할을 담당할 뿐이었다. 잘 지키는 날도 있었고 반만 지키는 날도 있었고 완전히 빵점인 날도 있었다. 하지만 신기하게도 이 방이 계속 생각나서 내내 마음에 압박이 왔다는 생각을 서로가 하고 있었다. 기분 좋은 압박. 누군가가 목표에의 의지를 봐주고 있다는 사실만으로도 충분한 동기가 느껴진다는 것에 단 한 사람도 이견이 없었다.

　리스트도 몇 개이건 상관없었다. 스케줄이 많아서 바쁜 주엔 두어 개만 선언해도 좋았고 이번 주엔 어느 때보다 열심히 살아보겠다고 예닐곱 개씩 목표를 올려도 좋았다. 유일하게 중요한 건 내가 정한 목표를 잊지 않겠다는 마음이었다. 그 마음들이 변공모라는 채팅방에 올라오는 매일의 하루평가를 통해 보이지 않는 끈으로 이어져있었다.

　우리는 타인의 삶을 간접체험하면서 스스로 얻은 동기로 사소한 한 가지라도 해내기 위해 시도를 늘려갔다. 내가 라이크핏 앱을 다운 받았을 때 다른 멤버들도 같은 앱을 다운 받아서 홈트를 했다. 신혜가 계단을 타겠다고 했을 때 계단을 타고 집에 가는 일이 모두에게 챌린지로 번졌다. 은진이가 간헐적 단식을 하니까 다이어트를 하고 싶은 사람은 한 번씩 도전해 보기도 했고, 영주언니가 실내 자전거를 타니까

집에 실내 자전거가 있었던 신혜도 타기 시작했다. 우리는 다른 이들의 실행력을 평가하는 사람들이 아니었으며 달성한 일에 대해서도 퀄리티를 논하지 않았다. 말 그대로 멤버 각자가 스스로 캐치한 동기로 변공모는 돌아갔다.

개인의 목표 달성 여부는 스스로 평가하지만 모두에게 두루 주어진 역할이 있었다. 한 사람의 자기평가에 대해 칭찬하고 격려해 주는 것이었다. 어느 날 우리의 이러한 모습에 은진이가 '긍정적 강화'인 것 같다며 멋진 말로 정의를 내려주었다. 우리가 서로에게 무한한 신뢰를 보내는 이유 중 한 가지는 누가 어떤 이야기를 던지든, 어떤 경험을 했든 긍정어로 답을 들을 수 있다는 것인데 그래서 이 관계에서는 감정의 실패가 없다. 긍정언어들의 바다에서 우리는 어떤 것이든 솔직하게 털어놓고 겸허히 피드백을 기다린다. 이것이 우리가 생각하는 긍정적 강화다. 서로의 좋은 점을 찾아주는 안내자 역할을 하면서 첫 프로젝트 기간을 보냈다.

2021년 : 멈춘 듯 보이지만 아니야

6개월의 프로젝트 기간이 끝난 후에도 우리를 지속하자고 합의했지만 성공의 기쁨에 어느 정도 도취되는 것은 어쩔 수가 없었다. 모임의 주기가 약간씩 늘어지기 시작했다. 마음이 해이해졌다고 표현하기에는 사실 무리가 있었다. 다들 개인적인 일로 너무 바빴다. 나는 6년 만에 다시 직업을 가졌다. 누군가는 휴직 기간이 끝나서 회사에 복직을 했고, 나이트 근무를 하고 나면 오전엔 회복할 시간이 필요한 사람과 출장이 잦은 사람도 있었다. 직업적으로도 바쁜데 아이들 챙기랴, 집안일 챙기랴, 나의 생활 역시 정신없이 흘러갔기에 각자의 자리에서 모두들 바쁘게 살아내고 있겠지 생각했다.

그러다 보니 2주에 한 번씩은 만나지던 모임의 주기가 한 달, 두 달, 세 달이 되더니 급기야 가장 길었던 때는 반년으로 길어지기도 했다. 모임의 리더로서 지금에 와서야 고백하자면 당시의 난 두려웠다. 실패한 게 아닐까 생각했다. 하지만 가끔이라도 오랜만에 체인징메이트들을 만나서 이야기 나눠보면 다들 그 기간 안에 무언가라도 하면서 지냈더라. 미래의 커리어를 위해서 영어 공부를 하고, 건강을 위해서 다이어트를 하고, 이직을 하고, 창업에 도전하고, 새로운 운동을 배우고.

변화의 속도를 조금 늦추었다고 해서 우리가 멈춰있거나 후퇴한 적은 없었다는 것에 자부심을 느낀다. 조금만 관점을 다르게 가지면 변화의 속도가 느릴 때도 있다는 걸 인정해야 한다는 것도 중요하게 생각하는 지점이다. 때로는 멈춘 것처럼 보일 때도 있다. 하지만 그다지 조급할 필요는 없다. 우리에게 인생은 아직 길고 완급이 있어야 호흡을 고르고 더 오래 더 멀리 뛸 수 있으니까.

2021년에는 조금 천천히 변화의 호흡을 했지만 각자의 자리에서 우리는 최선을 다했고 멈춘 듯 보였지만 아니었다. 그 한 해는 함께 하는 프로젝트는 많지 않았지만 사실 우리 모두에게 가장 격동의 시기였고 가장 많은 개개인의 변화가 일어났던 시기였다. 나는 새로이 시작한 공부방을 운영해 내느라 고군분투하고 있었고 그 사이 은진이가 체중 감량을 많이 해서 홀쭉해졌었다는 소식을 뒤늦게 알았을 뿐이다.

2022년 : 건강습관 챌린지

늘어지는 모임 주기를 다잡기 위해서는 무언가를 해야 했다. 2022년 봄, 모두의 의견이 모아진 한 가지 활동이라면 다들 등산에 대한 욕구가 있었다는 거다. 이야기를 나누다 보니 모두 과거에 등산 좀 해 본 사람들이었다는 사실을 알게 되었다. 나는 등산의 경험이 많지 않았지만 해보고 싶다는 마음을 그동안 품어왔기에 누구보다 열심히 참여하리라 마음먹었다.

우리의 첫 번째 등산은 김포에 있는 문수산에서 했다. 이동하는 데 시간이 꽤 오래 걸렸고 완만하기만 한 산이 아니어서 오르는 데도 시간이 제법 걸렸지만 정상에 올라서 접한 청량감은 오른 자만이 느낄 수 있는 것이었다. 등산이 재미있다고 느낀 첫 경험이었다. 내려오면서 근처의 유명한 한식당에 들렀고 배불리 먹었다. 등산 후에 먹는 든든한 한 끼가 그렇게 매력적일 수 없었다. 영주언니는 얼마 후에 유치원생인 아들을 데리고도 같은 산에 올랐다.

두 번째로는 비교적 이동거리가 짧은 인천의 계양산이라는 곳을 목표로 삼았다. 등산 초보인 나도 빠르게 왕복이 가능한 코스였다. 날씨는 선선했고 첫 등산 때는 미세먼지가 가득해서 시야가 아쉬웠지만 그날은 시야가 맑았다. 이 정도 코스라면 한 달에 한 번씩도 올만하겠다 싶었다. 등산 후에는 7000원짜리 한식뷔페에 가서 점심 식사를 했다.

다들 운동도 잘하고 먹기도 잘 먹는다. 접시를 가득 채워서 맛있게 먹는 모습을 보면 절로 밥맛이 좋아진다.

2022년의 우리는 개인적인 성장 외에도 함께 모여서 무언가를 하고자 꾸준히 노력했다. 한 해 동안 함께 하는 대부분의 시간은 건강습관 챌린지에 쏟았다. 우리는 가끔 등산을 했고, 건강한 밥을 먹었고, 시간이 맞는 사람끼리 모여서 아파트 단지 내외로 산책을 했다. 그러는 동안 우리가 보던 산의 색깔이 바뀌고 산책길에 마주치는 꽃들이 바뀌고 옷차림이 바뀌었다.

나는 이 모임이 정말 건강하다고 생각한다. 우리가 그동안 자주 간 음식점의 상위 리스트에 올라있는 곳 중 한 군데는 콩나물국밥집이고 또 다른 곳은 한식뷔페다. 물론 우리도 분위기 좋은 곳에 브런치를 먹으러 가거나 맛있는 스콘을 찾아 거리가 조금 있는 곳의 카페를 찾아가기도 한다. 하지만 이왕이면 건강한 음식을 즐기자 주의여서 한식 위주의 식사를 하게 된다. 모임을 이루고 있는 체인징메이트 한 사람, 한 사람이 심적으로나 체력적으로 모두 건강한 인물들임에 감사한다. 덕분에 나도 습관을 많이 바꿀 수 있었다.

2023년 : 일상의 조각들

'특별할 것 없는 하루하루가 모여 인생이 된다.'

2023년에는 3월을 맞이하며 '일상의 조각들'이라는 새 프로젝트를 시작했다. 아이들이 모두 초등학교에 입학한 해이기도 해서 엄마들도 새로운 프로젝트로 마음을 리셋하면 좋겠다고 느꼈다. 새 프로젝트는 하루의 일상을 틈틈이 찍어두었다가 매일 저녁 공유하는 콘셉트다. 생의 순간들을 그냥 흘려보내지 않고 기록하고 기억하고 의미 있는 순간으로 남기자는 것. 개인에게는 하루의 평가, 서로에게는 생의 공유와 응원, 동기부여의 시간이 될 것이라고 생각했다. 멋진 것만 보이자는 강박 없이 각자의 페이스대로 참여하는 것이 원칙인데 그래야 참여가 부담스럽지 않고 지속하는 힘이 생긴다.

일상의 조각들은 한 번씩 찾아오는 느슨한 마음을 다잡는 데 도움이 많이 되었다. 그러면서 더 열심히 변화를 꿈꾸고 새로운 것에 도전하게끔 했다. 타인의 삶을 바라보면서 내 삶을 점검했고 좋은 것은 적극적으로 배우고 따라 해보았다. 과거에도 우리가 지속적으로 경험해 온 긍정적 효과지만 이번에는 사진으로 접하니 생동감이 달랐고 타인의 삶에 더 깊이 관여한 참여자라는 생각이 들었다.

내가 경험해 보지 않았던 것들이 공유되면 새로운 눈이 떠졌고 생각해 본 적 없는 것을 배우는 체인징메이트를 보면 나도 그것에 관심이 생겼다. 그러면서 내 삶의 경험치는 늘 몇 배수가 되었다. 같은 시간을 살아도 더 많은 것을 배울 수 있는 관계 속에 놓여있다는 것은 얼마나 큰 메리트인지. 나와 관계없는 인물이 무언가를 하면 나와는 동떨어진 삶이니 그냥 그런가 보다 하지만, 바로 옆에서 미래를 향해 현재를 박차고 나아가는 사람을 보면 그의 노력이 무척 크게 와닿는다. 누구의 삶에도 배울 점은 꼭 있는 법이다.

사실 모든 엄마의 삶은 특수하다. 하지만 그건 아이를 위한 삶이지,

우리가 전면에 나선 삶이 아니다. 일상의 조각들 프로젝트를 진행하면서 매일 저녁 공유하는 하루의 흔적을 훑어보니 공통적으로 집안일과 아이의 픽업이 상당 부분을 차지했다. 초등학교에 갓 들어간 아직은 어린 아이들의 삶의 배경으로 우리 엄마들이 존재했다. 애초에 우리는 남다르게, 멋지게 살고 싶었던 여자들이다. 지금은 엄마라는 이름의 정체성으로 하루의 대부분을 살고 있지만 이 삶에서도 나름의 의미를 발견하자고 늘 다짐한다.

이번 프로젝트는 변공모 4년 차 중에서 가장 잘 지켜지고 있다. 매일의 일과를 혼자서만 간직하기 위해서 기록하기 시작다면 누구도 지금껏 유지해 올 수 없었을 것이다. 영주언니는 그저 공유하기 위함이 유일한 목표일지라도 자기 전에 하루를 돌아보는 것이 글로 쓰는 일기와는 다른 자기만의 인생기록이 된다는 것에 큰 의미가 느껴진다고 했다. 그래서 우리는 오늘도 열심히 하루를 남기고 공유한다. 특별하지 않아도 대단한 의미 아니어도 우리는 자기 생을 열심히 살아내고 있다. 당장 오늘은 거창하게 보다 소박하게 살아내기를 택했고 소소한 목표들로 가득하지만 우리는 나름대로 뜨겁다. 잔잔하게 이 모든 순간을 모으고 모으다 보면 언젠가 우리의 생은 특별하게 기억되지 않을까.

2023년 번외 : 화요일의 조찬모임

조찬모임이라 명명한 프로젝트를 시작했다. 요리 재료를 가지고 만나서 직접 요리해 먹거나 맛집을 찾아가는 거다. 아이들을 등교시키고 대개 아침 9시 반부터 집에서 삼겹살 파티를 하고, 만두전골을 끓여먹는다. 월남쌈을 해먹거나 골뱅이 소면을 만들어 먹는 건 일도 아니다. 하지만 단순히 먹고 수다 떠는 것에서만 그친다면 특별할 게 없으니까 나름 변공모인 우리는 식사 후에는 자그마한 세미나를 열어서 각자의 삶을 공유해 보는 시간을 가지기도 한다.

그 시간의 의미는 상상 이상이다. 누구를 막론하고 열심히 참여하기 때문에 지루해질 틈이 없다. 시간이 어찌나 잘 가는지 시작은 미니 세미나였는데 2시간 반이 지나도록 주제에 대한 이야기가 고갈되지 않았다. 결국 아이들 픽업을 이유로 아쉬움을 뒤로하고 마무리하곤 했다. 겨우 5분 정도 되는 짧은 강의를 함께 들을 때도 마찬가지였다. 단순히 어떤 내용인지 듣는 데서 그치지 않고 각자의 삶에 적용하려고 부단히도 고민하고 노력한다. 정말 노력파들이다.

2023년에는 여느 해와 다르게 재밌는 프로젝트를 많이 진행했다. 화분도 사러 가고 꽃도 사보았다. 다 함께 머리 맞대고 어떤 꽃들의 조합이 예쁜지 의견을 모으고, 동네에 저렴하면서도 품질 좋은 과일가게가 있다기에 우르르 몰려가서 과일쇼핑도 했다. 입시컨설턴트가 온다기에 우리 아이들에게는 아직 먼 미래의 일 같지만 같이 강의도 듣고, 영주언니의 가이드와 설명을 들으며 서울로 전시회를 보러 다니고, 환경과 건강을 두루두루 지켜보고자 천연비누를 공동구매하기도 했다.

'조금만 변화해 볼까?'라는 생각으로 뭉친 사람들이 언젠가부터 인생을 '변화시켜주는' 사람들이 되었다. 자기 자신뿐만 아니라 타인을 변화시키는 좋은 영향력을 미치는 사람들로까지 의미가 확장된 거다. 최근에는 신혜의 다이어트 성공담이 화제의 중심에 있다. 전적으로 그녀 스스로의 의지와 그녀만의 방법으로 성공한 그녀만의 결과물이지만, 우리는 그녀만의 결과물이라 생각하지 않고 우리 모두의 일처럼 기뻐하고 응원하며 자극받고 있다. 이제 변공모의 성과는 개인을 넘어서 '우리 모두의 성과'라고 인식한다는 것이 놀랍다.

우리는 아직 해보고 싶은 일이 더 많다. 각자에게 의미 있는 도안을 가지고 터프팅 작품을 만들러 가기로 했고 산책 나갈 때 쓰레기봉투를 들고나가서 플로깅도 하기로 했다. 아이들을 데리고 방학 때 경주여행을 함께 가자고 했던 것도 아직 이루지 못한 꿈이기에 머지않아 마음과 시간을 모을 예정이다. 또한 좋은 강의도 꾸준히 찾아서 함께 들을 거다. 세미나로 진행할 만한 콘텐츠를 열심히 찾아서 가져가는 건 나의 몫이다. 하고 싶은 일이 끊이지 않아서 이 모임은 매번 다음을 기대하게 한다.

나의 소중한 체인징메이트

우리 네 사람은 성향이 정말 비슷하다. MBTI 검사 결과, 항목이 3개씩이 겹치는 게 신기하다. 그러다 보니 내 마음이 네 마음이고 네 마음이 내 마음이지만 개개인으로 놓고 보면 캐릭터는 모두 확실한 게 또 흥미로운 점이다. 변공모를 하면서 우리는 모두 각자의 방식과 욕구대로 자신만의 3년을 이끌어왔다. 내 소중한 친구들의 이야기를 해 볼까 한다.

실천가 영주

영주언니는 '깔깔깔' 유쾌한 웃음소리를 가진, 높은 행복감으로 하루하루를 살아가는 긍정적인 사람이다. 그녀의 삶에 대한 만족감과 긍정성을 보면 좋은 영향력이 느껴진다. 라이프밸런스에 대해서 분석해 보는 세미나를 진행했을 때 모두들 인생의 1순위를 가족이라 꼽았는데 언니는 유일하게 자기 자신이라고 적었다. 그만큼 자신의 삶에 충실한 사람이다. 생각건대 그녀의 인생 모토는 '건강히 먹고 좋은 것들을 즐기며 살자' 쯤 일 것이다.

나는 그녀를 특히 실천가라고 생각한다. 그녀가 실천가인 것은 다른 이들의 어떤 제안도 모두 실천으로 이어질 수 있도록 솔선수범하는 캐릭터이기 때문이다. 그녀는 특유의 부지런함으로 다른 체인징메이트들이 생각해 내지 못한 아이디어를 잘 내는데 건강 관련 습관이 특화분야다. 손맛 좋은 영주언니 덕분에 우리는 집에서 건강한 밥을 지어먹고 시간이 맞으면 산에 오르거나 산책을 나가서 단순한 수다모임 이상의 많은 것을 경험해왔다. 또한 아이디어를 내면 첫 번째로 맞장구쳐 주는 사람도 언니다. 86년생들 틈에서 유일하게 한 살 많은 언니지만 누구보다 열려있고 모든 멤버를 친근하게 끌어안아주니 다들 그녀에게 의지하는 바가 크다.

지금은 초등학교 1학년이 된 아들을 케어하며 육아에 전념하고 있지만 필라테스를 다니고 하루에 한 시간 이상씩 실내 자전거를 타며 한정된 24시간을 가치 있게 쓴다. 퇴사 전에도 운동을 열심히 하면서 자기관리를 해왔지만 직장을 쉬는 지금도 그녀는 쉬는 법이 없다. 늘 열심히 읽고 보고 생각하고 실천하는 모습을 보여준다. 얼마 전부터는 지면신문을 구독 중인데 매일 색연필을 들고 앉아서 최선을 다해서 읽고는 가끔씩 기사를 공유해 주기도 한다. 언니 덕분에 몰랐던 걸 알게 될 때가 많아졌다.

언니는 특히 문화 예술 분야에 대해서 안목과 관심이 1등인데 어떤 분야를 잘 알아서 안목이 좋다고만 표현한다면 아쉬움이 든다. 언니는 예술을 전문적으로 공부한 사람은 아니지만 누구보다 진심으로 자기가 좋아하는 미술이나 음악에 흠뻑 빠져들어 거기서 풍부한 감상을 얻고 자신이 받은 영감을 우리에게 생생하게 전달해 준다. 그래서 우리를 그 분야로 안내해주고 매개해 주는 역할을 한다. 덕분에 우리의 안목이 깊어진다.

야망가 신혜

신혜는 겉으로는 평화주의자지만 가슴속에 뜨거운 꿈을 가진 야망가다. 레슬링 국제심판으로 활동하고 있는 그녀는 앞으로 올림픽 무대의 심판이 되는 것을 목표로 삼고 있다. 그렇기 때문에 영어 공부를 꾸준히 하고 있으며 올해만도 벌써 해외 출장을 두 번이나 다녀왔다. 현재 가진 자산들을 발판 삼아 그녀가 지금보다 큰 목표를 꼭 달성할 수 있기를 바란다. 나이 때문에 이미 늦은 건 아닐까 불안해할 때면 '너 정말 멋져!'라고 말해주는 체인징메이트들이 곁에서 열심히 응원하고 있기에 야망가로서의 목표를 꼭 이뤄냈으면 좋겠다.

신혜는 직업적인 성장을 꾸준히 해나가고 있지만 올해는 개인적으로 다이어트에 가장 집중했다. 사실 신혜는 학생 때부터 운동선수였고 다이어트에 자신도 있었단다. 하지만 먹는 걸 좋아하고 선수 때 통하던 다이어트가 30대에는 매번 실패로 이어져 힘들어했다. 그러던 그녀가 드디어 몇 개월 만에 20kg 가까운 체중을 줄이는 성과를 보여주었다. 80kg이 넘으니 두통이 잦고 생리일이 불규칙해졌으며 얼굴에 사마귀가 나고 목에 쥐젖이 나는 등 몸에서 이상신호를 보내왔는데, 현재는 수개월째 유지어터로 건강해진 삶을 살고 있다.

주변 사람들은 그녀의 성공에 자극을 받아서 조언을 구하며 다이어트 방법을 따라해 보기도 하는데 요즘은 개인 SNS를 통해 다이어트와 건강에 대한 기록을 남기고 있다. 안 맞던 바지가 맞으니 자신감도 올랐단다. 유니폼을 입고 일하는 그녀의 모습을 볼 때면 정말 멋진데 요즘은 슬림해진 몸 덕분에 더 카리스마가 느껴진다.

신혜는 꾸준히 성실성을 발휘하는 캐릭터이기도 하다. 다른 사람들은 바쁘면 가끔 잊어버리거나 '여행인데 오늘 하루는 쉴까?'라는 생각을 할 때도 있는데 신혜는 심지어 해외출장 중에도 산책, 운동, 영어 공부를 했다는 것을 인증해서 올린다. 다른 체인징메이트들이 어떠하든 간에 한 사람이 언제나 중심을 잘 잡고 있으니 나머지 사람들은 자연스레 다시 원래 있던 자리로 돌아가기가 쉬워진다. 가장 조용하지만 누구보다 야망 있고 가장 진득하게 자기 할 일을 해내다 보니 변공모가 유지되는데 꼭 필요한 존재다. 또한 신혜는 평화주의자라는 말도 잘 어울리는데, 누구의 말이든 진지하게 들어주는 태도가 사람을 편안하게 하는 힘이 있다.

전략가 은진

은진이는 자기 인생을 전략적으로 설계하고 늘 계획에 따라서 행동하는 캐릭터다. 무조건 질러놓고 보는 나와는 다르게 배움이 우선하지 않으면 웬만해선 섣불리 시작하지 않는다. 무언가에 관심이 생기면 충분히 알아보고 따져본 후에야 실행을 하는 편이다. 혹은 이미 시작한 일이라면 완전히 알게 될 때까지 철저하게 탐구한다. 그래서 나는 그녀를 전략가라고 생각한다. 은진이가 살아온 시간에는 수많은 도전이 들어있다. 내가 알고 있는 것만 해도 여러 가지다. 의료인이었고 공기업 직원이었으며 반찬가게를 운영해 보았고 무역상사를 운영했다. 현재는 남편과 함께 법인을 설립해 훨씬 다양한 영역의 여러 가지 사업에 도전하고 있다. 인생을 풍부하게 산다는 건, 늘 도전한다는 건, 그녀처럼 사는 것이라고 믿게 되었다.

은진이를 지켜보면 늘 배우고 있다는 것을 알게 된다. 그녀의 일상 공유를 보면 새로운 강의를 듣거나 자기가 알고자 하는 분야의 책을 주로 읽는다는 걸 엿볼 수 있다. 사실 변공모 초기에는 은진이가 연락이 잘 안될 때가 더러 있어서 뭐가 그렇게 바쁠까 궁금했는데 알고 보면 그녀는 열심히 사느라 하루 24시간이 모자란 거였다.

은진이는 지난 3년 동안 자기가 해보고 싶은 것들은 웬만해서는 다 시도해 보고 성과를 확인했다. 사소하게는 늘 해오던 코스피 위주의 투자에서 TQQQ와 채권이라는 투자 방향을 키워보기도 하고 영어책 대여사업과 외도민 사업 등 많은 일들을 새롭게 시작했다고 한다. 그녀는 당장의 물질적 안정이 중요한 사람은 아니다. 그동안 사업을 보는 눈이나 투자에 있어서 빠르게 수익률을 파악하는 능력을 키웠으니 앞으로 살아갈 시간들에 거는 기대가 더 큰 미래지향적인 사람이다. 나는 은진이의 지나온 경험들 덕분에 사업적으로 많은 조언을 얻고 있다. 그녀가 자기 스스로를 아끼고 신뢰하듯 나 역시 그녀가 미래에 큰 일을 해낼 것이라 믿는다.

은진이는 지낼수록 솔직함이 매력적인 사람이다. 또 스스로 자아성찰을 많이 하는 사람이기도 하다. 그래서 대화를 깊게 하면 할수록 그녀를 이해하게 되고 알게 모르게 마음을 의지하고 싶은 사람이기도 하다. 특히 고민이 있을 때 그녀의 사이다 같은 조언을 듣게 되면 무척이나 시원하다는 것.

탐험가 정아

나는 인생의 의미를 재미있는 일을 하는 것에서 찾는 사람이다. 다양한 분야에 흥미를 두루 가지고 있어서 새로운 것을 계획하고 실행해보는 시행착오를 끊임없이 거치고 있다. 실패도 많지만 그만큼 여러 도전에서 의미를 발견한다. 전에는 남편과 창업아이템으로 이야기 나누는 것이 나름의 소소한 행복이긴 했지만 우리의 치열한 아이디어 회의는 늘 노트 속에만 잠들어 있었다. 변공모를 시작한 후로 그동안 생각에만 그쳤던 것들을 하나씩 밖으로 끄집어내고 있는데, 나는 개인적으로 이 모임을 통해서 추진력을 얻고 무엇이든 실행으로 옮겨본 것이 가장 큰 성과라고 생각한다.

변공모를 시작하고 3년 간 여러 번의 창업을 했다. 첫 번째 창업은 영주언니의 제안에서 시작됐다. 옆 단지에는 좋은 공부방이 있는데 우리 단지에는 없어서 아쉽다는 것이다. 그러면서 내가 선생님을 하면 잘 할 것 같다고 했다. 처음에는 마음속에 담아놓고만 있었는데 두 번째로 그 제안을 다시 들었을 때, 해당 브랜드와 며칠 내로 계약을 진행했다. 변공모를 시작하고 6개월 만에 창업까지 속사포로 이루어졌다. 나는 또 새로운 커리어를 준비도 없이 덥석 물었다. 직접 해보고 판단하겠다는 나의 인생 기조는 탐험가라는 말에 꼭 들어맞게끔 한다.

공부방 일은 재미있었고 크게 어렵지 않았고 아이들의 성장하는 모습을 보면서 보람도 많이 느꼈다. 하지만 어린아이들을 케어하다 보니 체력적으로 한계가 왔다. 매일 저녁 수업이 끝나면 잠깐 침대에 누웠다가 그대로 곯아떨어져서 새벽 3시가 되어서야 눈을 떴고 그제야 세수를 하고 다시 잠이 들었다. 평균 취침 시각이 7시였다. 아직 유치원생이던 내 아이를 돌보는 일은 언제나 퇴근한 남편의 몫이었다. 난소에 생긴 종양을 3개나 떼어내는 수술을 하고 난 후로는 체력이 더 떨어져서 일을 그만두었다. 그래도 만 2년을 채웠고 값진 경험이었다.

현재 나는 두 건의 창업을 더 진행 중이다. 내 옆에서 평범하지 않은 인생의 레이스를 함께 달려주는 이들의 응원과 격려가 없었더라도 내가 지금의 성과들에 도전했을까 하는 궁금증이 든다. 변공모로 달라진 삶이라면 지금 나를 둘러싼 모든 것이다. 가게를 운영하며 글을 쓰는 삶도, 새로운 공부를 시작하면서 다음의 커리어를 위해 달려가는 것도, 또 다른 창업을 준비하며 하루하루를 기대하며 보내는 시간도, 사람들에게 변공모로 인해 변화된 나의 삶을 자신 있게 말할 수 있는 것도, 그래서 이렇게 책을 쓸 수 있는 것도. 그 모든 사소한 시도와 시간들이 지금의 내가 있기까지 나를 키워온 자양분이었다. 내가 끝없이 탐험할 수 있었던 건 바로 거기에서 나온 힘이었을 거다.

변화공유모임을 운영하면서 오래 지속되는 모임의 조건에 대해서 생각해 보았다. 우선 멤버 모두에게 실행의지가 있어야 한다. 우리 모임은 실행에 옮기는 사람과 꾸준히 하는 사람이 잘 섞여있다는 게 장점인데 설령 하루 이틀 습관을 미루거나 빼먹을 때도 꾸준히 하는 누군가가 있다면 해이해진 마음을 붙들어 매기 좋다. 아무래도 사람인지라 슬럼프를 겪지 않을 수 없지만 개인적으로 힘들고 바쁜 시기를 보내는 중이더라도 다른 멤버들의 모습을 보면서 다시 돌아오는 편이다. 나태한 사람이 딱히 없다는 것도 장점이다. 모두들 긍정적이며 회복탄력성이 좋아서 조금만 격려해주면 언제든지 원점으로 돌아온다.

멤버들의 성향이 비슷하다는 것도 도움이 된다. 우리는 모두 새로운 것에 대한 거부감이 없는 편이다. 게다가 어떤 경험에도 호의적인 성향이 크다. 그렇기에 새로운 무언가를 시도해 보자고 제안하면 마음을 맞추고 금세 실천까지 갈 수 있다. 진심으로 동의하지 않는데 분위기상 그런 척하는 사람이 없어서 의견을 내는 데 부담감이 덜하다.

우리는 친하지만 좋은 말을 쓰려고 노력하는 사람들이다. 나는 성장과정에서도 그랬고 직업적으로도 그러했지만 말하기에 예민한 사람이다. 그래서 같은 말도 이왕이면 더 예의 있고 예쁘게 표현하고자 노력하는 삶을 살아왔는데 이들은 섣부른 충조평판(충고.조언.평가.판단)을 하지 않는다. 그러다 보니 고민을 얘기하기가 부담스럽지 않다. 단순한 체인징메이트에서 진짜 삶을 나누는 친구로의 전환이 쉬웠던 건 그래서였을 거다.

다른 사람의 좋은 점을 배우려고 노력한 것도 모임이 유지될 수 있었던 큰 동력이었다고 생각한다. 하루 단위로 보면 목표의 실행이 개인에게는 작은 성취감의 전부일 수도 있다. 하지만 그 옆에는 동료들의 부지런함에 자극을 받는 나 같은 사람도 있다. 내 인생을 더 사랑하고 조금 더 높은 차원으로 끌어올리기 위해서 좋은 점을 열심히 배워야지 싶었다. 영주언니를 보며 예술을 더 사랑해야겠다 생각했고 신혜를 보며 더 성실해야겠다 생각했으며 은진이를 보며 더 공부해야겠다고 생각했다. 그들의 변화에서 나의 변화가 시작되었듯이 은진이는 나를 보며 브런치작가에 도전하기로 했단다. 서로 선순환의 영향을 주고받는 중이다.

에필로그. 끝나지 않을 우리들의 미래

과거의 나는 성공에 이르는 길이 혼자서 고독하게 달려가는 것이라고 생각했다. 그러나 지금은 그 길에 주위 사람들의 응원을 필요로 하고 격려 받으며 환하게 달려가야 도달할 수 있다고 믿게 되었다. 그러면서 깨달았다. 나는 사람들과 함께 변화해 가는 충만한 느낌을 좋아하고, 그 에너지 안에 있으면 현재를 뛰어넘는 변화의 DNA가 활성화되는 느낌을 받는다는 것을. 그리고 내가 잘하는 일이 있다면 나의 러닝메이트들이 끝까지 달릴 수 있도록 독려하는 일이라는 것을. 내가 속한 세상에서 함께 하는 사람들은 언제나 아주 신실한 나의 라이프메이트가 된다는 것은 나의 자부심이기도 하다.

영주언니는 말했다. 자기는 하고 싶은 것이 있을 때 바로 실행에 옮기기는 잘하지만 유지하기가 어려운 사람이라고. 그런데 변공모는 비슷한 니즈가 있는 사람들끼리의 모임이라 뭐든 으쌰 으쌰 해서 지속할 수 있어서 좋았다고 했다. 의견 제시에 쭈뼛대는 사람도 없고 반박하거나 부정적인 사람도 없으니 모임에 오면 힘이 나는 게 사실이다.

은진이는 자신이 다른 멤버들에게 얼마나 좋은 영향을 주었는지에 대해서 궁금해했다. 그녀는 충분히 많은 영향력을 미쳤다. 나 역시 그녀의 노력을 보고 앞으로 걸어 나가게 되었으니까. 앞으로도 서로의 시도를 무한히 응원하고 변화의 의지가 약해질 때 서로에게 자극을 주었으면 좋겠단다. 그 회복탄력성으로 우리가 끊임없이 성장 할 수 있게.

신혜는 변공모를 통해서 자신은 누군가와 함께 소통하면서 진행해야 더 열심히 하게 되는 사람이라는 것을 확실히 알게 되었단다. 힘들다 싶은 시기가 찾아와도 좌절보다는 긍정언어로 소통하면서 일상이 지루하다는 생각 대신 재밌고 행복하다고 생각하게 되었다. 무엇보다 가족도 중요하지만 자기 자신을 먼저 생각하게 된 점이 가장 큰 의식의 변화라고 했다.

'원래부터 그런 사람들이 모였던 거 아니야?'라고 할 수도 있을 것 같다. 하지만 변화를 꿈꿈에도 혼자서는 어려웠던 사람들이 좋은 친구들을 만나서 변화의 시기를 앞당겨 옴은 부인할 수 없다. 그동안 우리가 이룬 성과가 그리 대단한 것들이 아닐 수도 있다. 하지만 나의 체인징메이트들과 소회를 주고받으며 우리의 3년 넘는 시간을 글로 정리하다 보니 생각보다 다양한 시도와 노력들을 해왔다는 것에 의견의 궤를 같이 했다.

변공모의 모든 활동은 셀프평가에 의미가 있는 것이기 때문에 개개인이 이룬 것에 대해 타인에게 성과를 질을 평가받을 필요가 없었다. 그렇기 때문에 외부에서 나를 어떻게 평가하는지 또한 전혀 중요하지 않았다. 우리는 타인에게 보이는 삶보다 스스로 내면이 강한 삶에 집중했고 그 안에서 각자가 소중하게 여기는 가치들을 보물 캐듯 발견해왔다. 그래서일까. 누구의 낙오도 없이 첫 멤버가 모두 건강하게 이 모임에 속할 수 있었다.

우리에게 주어진 삶의 시간은 똑같지만 지금껏 그 시간은 각자의 가치관에 따라서 다르게 운영해왔다. 우리는 그조차도 서로에게 배움을 얻는 포인트로 삼았다. 누군가로부터는 진정한 행복을 어떻게 찾아나갈 수 있는지에 대한 힌트를 얻고, 누군가로부터는 효율적으로 배우려면 어떻게 접근해야 하는지 방법을 배우고, 누군가로부터는 어떻게 하면 타인과 조화롭게 대화할 수 있는지를 배운다. 그리고 무엇보다 인생을 대하는 자세에 대해서 서로에게 영감을 준다.

앞으로도 우리는 미래를 함께 그려나갈 계획이다. 함께 예술을 즐기고, 함께 운동을 하고, 환경을 위한 고민들을 함께 해나갈 것이다. 이 글을 쓰고 있는 지금도 채팅방에서는 주말에 등산을 가자는 이야기가 오고 가며 30일 동안 꾸준한 습관을 지속하게끔 도와주는 앱을 새롭게 찾았다며 추천이 이어지고 있다. 더 신선한 표현을 찾고 싶은데 느끼는 그대로 적어야겠다. 그냥 미소가 지어진다.

나의 변화로부터 너의 변화가 시작되는 것이 고맙고, 너의 변화로부터 나의 변화가 시작되는 것이 고맙다. 모든 시도에 성공률보다도 노력에 더 높은 점수를 주는 사람들. 은진이의 말대로 지금 우리에게 생긴 이 수많은 변화의 대부분은 어느덧 4년 차의 시간을 함께 하고 있는 변공모의 응원 덕분일 거다. 지금껏 4명에서 인원을 더 늘리지 않는 이유는 우리가 비슷하면서도 충분히 다르고 서로에게 부족한 점을 잘 보완해 주는 관계이기 때문이다. 글을 끝까지 마무리할 수 있도록 많은 도움을 준 나의 체인징메이트에게 무한한 애정을 보낸다.

덕분에 글을 쓰다

변공모를 시작한 후 가장 처음으로 선언한 것은 매일 글을 쓰겠다는 것이었다. 느낌이 통하는 우리 네 사람이 변화해가는 모습을 처음부터 끝까지 소중하게 남겨보고 싶었다. 그때 써 둔 글들이 많았고 변공모를 하면서 느꼈던 감정의 기록들이라 몇 편을 실어본다.

약속에 대하여

약속이란 사람을 얼마나 성실하게 만드는지. 모임을 만들고 시작한 이틀째에 벌써부터 긍정적인 효과들을 경험하고 있다. 또 스스로와의 약속은 얼마나 쉽게 생각하는지도 더불어 체감한다. 경단녀 생활 6년. 그동안 해마다 내 삶을 가꿀 프로젝트를 꿈꿨고 적었다. 그러나 번번이 며칠 못 갔다. 나는 의지가 부족하다는 것을 매번 뼈저리게 느끼기만 했다. 난 평범한 수많은 이들 중 겨우 한 사람인 걸까. 이왕이면 한 번 사는 인생, 비범하게 특별하게 살고 싶다. 늘 읽어야지 생각만 하고 미뤘던 독서를 이틀 연속했다. 매번 다음날로 미루던 설거지를 했다. 내가 추천한 운동앱 라이크핏을 나의 체인징메이트들이 더 열심히 해내는 모습을 보면서 나 역시 미룰 수 없게 됐다. 덩달아 운동에 성실해졌다. 단순히 누군가와 약속했다는 이유 하나만으로 누군가가 내 일상을 체크해 주고 있다는 이유 하나만으로 모든 것이 이토록 쉬워졌다. 이런 멋진 모임을 만들었다는 게 뿌듯하고 함께 할 이들이 적극성을 지닌 인물들이라는 것에 감사한다. 벌써부터 작은 변화를 느끼면서 내가 더 괜찮은 사람이 될 것이라는 것에도 크게 설렌다. 누군가 옆에서 부드럽게 응원하며 푸시 해주는 사람이 필요한 나에게 체인징메이트들의 성향이 딱 맞아떨어졌다. 약속의 힘을 6개월 동안 열심히 경험해야겠다.

삶의 초점을 둘 곳

킬링타임이 줄었다. 이렇다 할 목표 없이 하루하루를 사는 것과 목표를 이루기 위해 매일 고군분투하며 살아나가는 삶은 완벽하게 다르다. 대학생 때 동에 번쩍 서에 번쩍하듯 하루에 해야 할 일과 약속을 몇 가지씩 해치웠었는데 그때의 내가 오버랩 되어서 좋다. 이렇게 살아나가다 보면 다시 그때를 마주할 수 있을 것 같기도 해서 몹시 두근거린다. 목표는 삶을 흔든다. 지금보다 나은 내가 되도록. 삶이 더 윤택해지도록. 목표가 얼마나 인생을 풍요롭게 하는지 느끼며 이렇게 다짐한다. 삶의 초점을 내면의 중심에 두자고. 하루의 목표 6가지를 모두 클리어하고도 여유시간이 남았는데 아직 밤 11시라니! 목표를 클리어하기 위해 시간 낭비하게 되는 다른 요소들을 줄이게 되는 게 의미 있다. TV를 켜는 시간이 줄었다.

책임감에 대하여

그것은 일종의 책임감이다. 책임감 때문에 조금 더 움직이고 좋은 사람으로 비춰지기 위해서 노력한다. 내가 흐트러지면 모임은 지속될 수 없을 테니까. 어쩌면 멤버들에게 각자 책임감을 하나씩 심어주는 것도 중요하겠다는 생각이 든다. 모두가 주인의식을 가질 필요가 있다. 가끔 하기 싫고 귀찮아도 '이 정도는 해야지'라는 생각으로 나를 움직이는 책임감. 세상을 살면서 우리가 많은 타이틀로 크고 작은 역할들을 소화하며 살아가고 있는데 그 중심에 책임감이라는 키워드를 지닌 사람이 삶을 더 원하는 방향으로 살아내고 있지 않나.

목표를 세우는 방법

목표를 잘 세우는 것도 참 중요하다. 내가 해낼 수 있는 것들로 내 인생을 세팅하다 보면 훨씬 재밌고 동기부여 되지 않을까. 하기 싫고 어려운 걸 꾸역꾸역 하기보다는 나는 좀 천천히 가도 되는 사람이라는 여유가 있다면 그 편이 훨씬 인생을 재밌게 살아나가는 방법일 것 같다. 물론 좋아하는 것만 하고 살 수는 없다. 하지만 좋아하는 것들로 삶을 채움으로써 거기서 만족감을 느끼고 내가 더 괜찮은 사람이라는 자기유능감을 느낄 수 있다면 나는 내 인생을 그리 세팅하고 싶다. 쉬운 목표들을 달성해 나가다 보면, 그래서 나에 대한 신뢰가 더 깊어지면 그때 가서 진짜 내 안의 욕망을 꺼내 만인에게 보여주고 그로 향하는 것을 보여주고 싶다.

독서모임을 만들다

더 나은 사람이 되겠다는 바람으로 변공모 이외에 책 읽기를 좋아하는 사람들을 모아서 독서모임을 만들었다. 우리는 멋지지는 않지만 노력하는 사람들이다. 변화공유모임도 독서모임도 똑같다. 나만 그런

게 아니고 다른 참여자들도 같은 생각으로 모였더라. 공유와 관찰을 통해 내가 더 의미 있는 행동을 하게 될 것이라는 기대. 변공모가 내 삶을 다른 차원으로 바꾸고 있고 그런 마음의 연장선으로 독서모임을 내질렀다. 그들이 이 모임을 찾은 이유는 같은 의지를 지닌 사람들과 함께 하면서 나를 조금은 강제하는 책 읽기 습관, 읽는 순간 사라지는 감흥이 아닌 감상을 주고받으며 더 깊이 생각하는 습관을 갖고 싶다는 것. 이번에도 변화에 대한 의지가 일치하는 사람들을 만났다. 일단 스타트가 좋았다. 잘 유지되어서 좋은 사람들 속에서 함께 즐거운 변화를 누릴 수 있기를. 변공모는 어느 정도 자리 잡아가지만 나 스스로와의 계약을 지키는 것은 아직 어렵다. 하지만 빨리 변화할 필요는 없기에 다음 모임이 더 기대된다.

스무 살의 대상포진

단비

단비

봄에 피는 꽃을 좋아하고, 여름에 먹는 복숭아를 좋아하고, 가을에 보는 새파란 하늘을 좋아하고, 겨울에 내리는 눈송이를 좋아합니다. 머무르는 곳에 항상 좋아하는 순간이 생겼고 그 순간을 놓치지 않기 위해 글을 쓰기 시작했습니다. 제 글을 읽으시는 분께도 저의 행복한 마음이 전해지면 좋겠습니다.

instagram: @danbi_write

찬란했던 스무 살 겨울의 끝자락, 나는 대상포진에 걸렸다.

*

이 이야기를 꺼내면 대부분 놀라곤 한다. 요즘에는 부쩍 2030 환자도 많아졌지만, 20대 그것도 스무 살에게 발병하는 일은 꽤나 이례적이니까. 대상포진은 수두 바이러스가 몸에 남아있다가 보통 면역력이 떨어지는 60세 이상의 노년층에게 활성화되는 병으로, 해당 부위에 통증을 동반한 수포가 생기게 된다. 그런데 나는 드물게 나타나는 '수포 없는 환자'였다. 이유 모를 고통을 떠안은 채 이 병원 저 병원을 전전하다가 2개월이라는 시간을 버렸다. 알려진 바로 골든 타임은 72시간이며 발생 직후 치료가 이루어진다면 후유증을 줄일 수 있는 병이었으나, 나는 골든 타임을 놓쳐도 한참을 놓쳐버렸다.

처음 왼쪽 갈비뼈 부근의 통증이 시작되었을 때, 집 근처에 있는 A병원에서 X-ray, Ct, MRI와 같은 각종 검사를 했다. 내 몸과 뼈에는 당연히 이상이 없었으므로 정상이라는 답변을 듣고 영문도 모른 채 집에 와서 갈비뼈를 부여잡기 수 차례, 견디다 못해 이번에는 B 병원을 갔다. 이름이 알려진 큰 병원이라 병명을 알 수 있지 않을까, 내심 기대했으나 이번에는 내가 예민해서 그렇다는 답변이 돌아왔다. 알맞은 시간에 식사 세끼를 잘 챙겨 먹고, 규칙적인 생활을 하면 원래대로 돌아올 것이라는 조언과 함께. 당시에 나는 불규칙한 생활이 이정도의 고통을 줄 수 있는가에 대해 생각할 겨를도 없었다. 잔잔했던 나의 일상에 침범한 불청객은 내가 예민해서 그렇다고 당연하게 받아들였다.

그렇게 수일이 지나도 통증은 가라앉지 않았고 갈수록 밤잠을 이루지 못해 뒤척이다 깨기를 반복하게 되었다. 길을 걷다가 옷깃만 스쳐도 통증에 주저앉고, 불에 타는 듯한 고통에 잠식되어 외출마저 쉽지 않았다. 그래도 난 내가 예민해서, 스트레스가 많아서 그렇다고 스스로 위로했다. 지금 와서 생각해 보면 더 적극적으로 확인하지 못한 점이 답답하게도 느껴진다. 하지만 당시에는 어떤 병원에 가도 아픈 이유를 모르겠다며 혀를 내둘렀다. 그러니 나도 모르게 엄살이 심해졌나? 이건 꾀병인가? 하는 의구심까지 들었던 것 같다. 그렇게 앓는 내 모습을 보며 함께 힘들어하던 엄마가 문득 수포는 없지만, 대상포진의 통증 양상과 비슷한 것 같다며 대상포진 전문병원을 물색했고 나는 지푸라기라도 붙잡는 심정으로 방문했다.

그렇게 12월에 시작한 이유 모를 통증은 해를 넘긴 3월, 드디어 병명을 알게 되었다. 병명을 알고 기뻤던 건 잠시였다. 이제 해결될 일만 남은 줄 알았는데, '대상포진 후 신경통'이 날 기다리고 있었다. 대상포진에서 발병 부위의 신경이 손상되어 대상포진이 낫고 난 이후에도 부차적으로 신경통을 앓게 된 것인데 밤낮을 가리지 않고 왼쪽 갈비뼈 안쪽을 향해 날카로운 무언가로 후벼 파는 고통에 시달리게 되었다.

우선 고통을 완화하기 위해 뒤늦은 치료를 시작했다. 신경의 통증을 일시적으로 차단하기 위해 환부 위치에 주사 세 대를 연속으로 놓는 신경 차단술이었다. 나는 평소 주사를 상상이상으로 무서워하는 사람이었고, 주사를 맞다가 쓰러진 적도 있었다. 더 나아가 치과 신경 치료마저 무마취로 진행할 정도였다. 그런 나는 치료를 받을 때 힘든 내색을 하기 싫어서 늘 씩씩한 척했지만, 병원을 나서는 순간 덜덜 떨리는 손으로 얼굴을 가리며 울었다. 치료를 시작하고 통증 강도는 반으로 줄어들었지만 신경통은 참 대중이 없었다. 빨리 치료를 끝마친 사람이 있는가 하면, 평생을 고통 속에 사는 사람도 있다. 내게 대상포진이라는 병명을 쥐여 준 의사 선생님이 말씀하시길, 나는 대상포진의 발견이 늦어졌기 때문에 아무래도 전자보다는 후자에 가까울 것이라고 했다. 꾸준한 치료 이후에도 통증은 내가 어떻게 하는지에 따라 매번 다르게 나타날 테니 균형 잡힌 식단과 규칙적인 운동을 생활화하고, 음주나 흡연 같은 부분도 최대한 자제할 것을 당부했다. 나는 원래 술을 잘 못 마시는 사람이고, 비흡연자였지만 안 하는 것과 못 하게 되었을 때의 느낌은 차이가 상당했다.

사소한 것 외에도 많은 것을 포기하게 되었다. 왼쪽 갈비뼈를 기점으로 왼쪽 옆구리와 뒤로 이어지는 등까지 연결된 통증은 때에 따라 강도를 달리 했다. 이러다 갈비뼈가 바깥쪽으로 뜯어지는 건 아닐까 싶을 정도의 뼈가 휘는 듯한 통증은 하루 종일 이어졌고, 오래 앉은 자세로 집중하다 보면 신경통의 존재를 잊지 말라는 듯 갈비뼈 안쪽을 연신 뾰족하고 날카롭게 찌르는 통증이 느껴져 더는 앉아서 집중할 수가 없었다. 어떨 땐 둔탁한 물건으로 옆구리와 등을 계속 때리는 듯 욱신거리는 통증이 일었다. 다니던 회사를 그만두었고, 친한 친구들과 만나는 횟수를 줄였다. 서있기보다는 앉는 자세를, 앉는 자세보다는 눕는 자세에서 긴 시간을 보내게 되었다. 신경통은 이렇게 일상의 크고 작은 부분을 헤집어 놓았다.

무언가를 포기하는 일이 늘어날 때마다, 통증 강도가 유독 높거나 치료가 힘들 때마다 끝도 없이 반추했다. 대상포진은 왜 내게 이렇게도 일찍 찾아왔는지, 하필 병명을 알기도 어렵게 환부에 수포도 없이 꼭꼭 숨어서 나를 괴롭힌 건지.

약은 또 어떠한가, 나와 맞는 신경통 약을 찾기 위해 용량을 올렸다가 내리는 것을 반복했으며 이를 통해 수많은 부작용과 마주했다. 정착한 약의 대표적인 부작용은 어지러움, 졸음, 부종, 운동 실조, 두통, 체중 증가, 입 마름, 근육경련, 시각이상 등이었다. 대부분의 부작용은 당장 삶을 영위하기에 걸림돌이 되지 않았다. 치명적인 부작용은 따로 있었다. 약을 먹으면 얼마 지나지 않아 시야가 흐려지며 어지러움을 느꼈는데 어지러움의 정도가 늘 내가 통제할 수 없는 범주에 있었다. 이게 가장 힘든 부작용이었다. 용량이 적으면 신경통이 말썽이었고, 용량이 늘어날수록 고통은 잠시 덜 수 있지만 몸을 가누지 못하니 불가항력이었다.

그렇게 1년이 지나고, 새해를 맞아 스물두 살이 된 나는 나의 20대를 되돌아보며 '대상포진' 밖에 떠올리지 못했다. 그리고 이제는 고작 22살이기도, 벌써 22살이기도 했다. 평일에는 임의로 약의 용량을 줄이거나 먹지 않고 버텼다. 약을 먹지 않으면 왼쪽 갈비뼈 안쪽을 날카롭게 후벼 파는 고통에 이를 악물어도 다리의 힘이 풀려 무너지고 말았다. 앞으로도 신경통이 뒤따른다면 아무것도 할 수 없고, 아무것도 이룰 수 없다는 생각이 들기 시작했다. 나의 젊음이 좌절되는 것만 같았다. 스물두 살이 끝나갈 즈음에는 조급함으로 가득 찬 머릿속이 터질 것만 같았다.

그때 난생처음으로 번아웃(Burnout Syndrome)을 겪었다. 모든 일에 의미가 없다고 치부했고, 내가 무얼 위해 이리 열심히 사는지 작은 일에서부터 회의감이 들었다. 그렇게 나는 불씨가 서서히 꺼지듯 사그라드는 것만 같았다. 다만, 스스로 이런 변화를 민감하게 알아차리는 편이었으므로 나의 마음속 깊은 곳에서 시작된 무기력함이 온몸으로 퍼져 나가려 할 때쯤, 상황을 탈피하고자 친구에게 손을 뻗었다. "나 요즘 인생이 재미없어!" 더 이상 신경통에게 일상을 좀 먹히고 싶지 않았다.

약속을 잡은 그날은 비가 미친 듯이 내리는 날이었다. 우리는 공방에 가서 향수도 만들고, 카페에 가서 좋아하는 커피도 마시고, 서점에 가서 책도 구경했다. 나의 기분은 점점 전환되는 것 같았지만 되려 친구의 표정이 좋지 못했다. 그때만 해도 이유는 모른 채 서점을 나왔다. 비는 아까보다 거세게 내리고 있었다. 그에 맞춰 우산을 단단히 잡았지만, 바지 밑단에서부터 걷잡을 수 없이 옷이 젖어 들어가고 있었다.

모두 우산을 쓴 채 발걸음을 급히 옮기고, 우산 없이 비를 피해 뛰어가는 행인도 차츰 보이지 않게 되었다. 내가 알던 평소 서울의 풍경과 점점 멀어지는 모습에 괴리감이 들 정도였다. 얼마나 걸었을까, 귀가 먹먹할 정도의 빗소리와 비로 인한 교통 체증으로 밀리기 시작한 차들이 내는 경적만으로 주변이 가득 찼을 때였다.

때맞춰 나타난 물웅덩이에 친구가 먼저 장난을 쳤다. 친구의 발을 중심으로 청량한 소리와 함께 물방울이 튀었다. 까르르- 친구와 나는 서로 마주 보며 청춘 영화처럼 웃었다. 곧이어 나타난 물웅덩이에 나도 친구를 따라서 가볍게 밟았다. 사방으로 튀기는 물방울은 내가 원래 비 오는 날을 좋아했다는 사실을 상기시켰다. 신경통이 시작되고 난 이후 의사 선생님께 듣고, 내가 직접 겪으며 알게 된 바로 신경은 낮아진 기압에 평소보다 배로 압박을 받는다. 따라서 비가 오는 날은 고통에 더 민감했다. 교통수단을 이용할 때조차 도로 위에서 보내는 시간이 늘어나기 때문에 자연스레 몸에 무리가 갔고, 점점 비를 성가신 존재로 치부하게 되었다. 그러나 나는 길을 거닐며 우산 속에서 듣는 빗소리도, 특유의 축축한 공기도, 떨어지는 빗방울에 의한 물의 파동도, 내리는 빗속에서 장난도 좋아하는 사람이었다.

지하철역으로 가는 내내 우리는 물웅덩이가 보이는 족족 밟아 옷이 죄다 젖은 채 입술이 떨리는 줄도 모르고 서로에게 물을 튀기며 함박웃음을 지었다. 아마 누군가 봤으면 조금은 우습게 생각했을지도 모르겠다. 그래도 난 그 순간을 꽤 즐겼기에 후회는 없다. 한창 신났던 물놀이가 끝을 보일 때쯤 친구도 풀어진 표정으로 내게 넌지시 말했다.

"재밌지, 이제 인생이 조금 재미있어졌지?" 서점에서 나올 때 표정이 어두웠던 이유였다. 친구는 나의 대상포진 신경통을 해결해 줄 수 없음을 알고 있다. 나는 당장 집에 가면 오늘 무리한 대가로 신경통이 도질 수 있으며, 다음 날은 다시 미래에 대해 고민하게 될 터였다. 하지만 당시에 난 내가 뱉은 말 한마디를 친구가 계속 기억하고 있었다는 사실 하나만으로도 고마워서, 어떤 일이든 마주할 힘이 생기는 기분이 들었다.

나는 태어나길 뼈대가 얇아 걷고, 뛰기 시작했을 무렵부터 쉽게 다쳤다. 발목을 자주 접질렸고, 잠이 짧은 탓인지 몸이 허약해서 매년 한 번씩은 꼭 감기를 심하게 앓았다. 딱히 콕 짚어 아픈 곳은 없었지만, 어떨 땐 탈수로, 어떨 땐 식중독으로, 어떨 땐 장염으로 응급실에 가거나 입원해서 링거를 맞지 않은 해가 없을 정도였다. 다행히 여느 아이들처럼 잘 뛰어놀았으나 에너지가 금방 고갈됐다. 그래서 늘 지치거나 다치지 않게 조심하며 보냈던 것 같다. 일상은 불편했지만 아픈 일은 익숙하다고 생각했고, 바뀌려는 노력을 전혀 하지 않았다. 몸이 계속 전조를 보이며 신호를 주었으나, 한 살이라도 많을 나중의 내가 어떻게 해줄 거라는 안일함으로 미루고 싶었나 보다.

중학생이 되었을 때, 어쩌면 대상포진이었을 지 모를 비슷한 통증이 있었다. 위치도 동일하게 왼쪽 갈비뼈 안쪽이었다. 지속해서 찌르는 듯한 감각이 불편해서 여러 가지 검사를 받았지만, 그때는 금방 통증이 사라졌기에 큰 고비 없이 고등학교에 진학하게 되었다. 점점 책상 앞에 앉아있는 시간이 늘어나자 또 잔병치레가 시작되었다. 스트레스를 받는 만큼 먹는 양은 줄어들었고, 영양분이 제대로 섭취되지 못하니 내 인생을 통틀어 예민함의 정점을 찍은 시기였다.

그때는 공부 빼고 다 재미있을 때이기도 했고, 심신을 안정적으로 유지하기 위해서 운동이 필요하겠다는 생각이 처음 들었다. 그러다 우연한 계기로 알게 된 운동, '주짓수'에 호기심이 생겼다. 주짓수는 상대를 조르거나, 넘어뜨리거나, 관절을 적재적소에 활용하여 꺾는 동작으로 이루어진 운동이다. 난 초등학생 때 친구들이 한 번씩은 경험하던 특공무술이나 태권도는 시도조차 한 적 없다. 남들과 견주었을 때 체격에 자신이 없었을뿐더러 용기도 부족했기 때문이다.

겨뤄서 단판에 승패가 나뉘는 것에 흥미가 없었는데, 당연히 주짓수도 막상 시작해 보자니 용기가 없었다. 그래도 주짓수에 대한 호기심을 끝내 저버리지 못하고 끈질기게 부모님을 설득했다. 부모님은 내심 공부에 전념하길 바라셨지만 여자에게 호신술로도 좋고, 기초 체력을 늘리는 데에 이만한 운동이 없을 것 같다고 주장한 결과 주짓수 도장을 끊을 수 있었다. 운동을 시작하자 체력이 급속도로 붙었으나 나는 여전히 체구가 작고, 근력도 부족했다. 배운 기술을 스파링 상대에게 걸 때 힘이 부족해 압도적으로 밀린다는 것을 느꼈다. 비슷한 체구의 상대와 겨뤄도 이상하게 힘이 잘 들어가지 않았다. 스파링에서 기술을 걸었을 때, 상대방이 나를 통째로 들어버린 날은 실소가 터져 나옴과 동시에 무력감이 들었다. 스스로 실망하는 날이 잦아지자 주짓수는 나에게 어떠한 동기도, 즐거움도 주지 못했다. 주짓수에 완전히 시

들해지면서 도장을 빠지는 날이 늘어났고 그만두게 되었다.

　주짓수를 관둔 이후 운동을 기피하게 되었지만, 체력이 좋아졌다는 사실을 무시하기 어려워서 다시 운동을 알아보았다. '얽혀서 싸운다'는 뜻의 그래플링(Grappling) 위주의 무술은 나와 맞지 않는 것 같으니, 온전히 혼자 하는 운동은 어떨까? 하는 마음으로 이어져 요가를 시작했다. 주짓수와는 달리 정적이고 고요한 운동인 요가는 조금은 지루했지만, 명상을 통해 마음의 안정감이 들었고 집중력 향상에도 도움을 주었다.

　덕분에 일 년 이상 꾸준히 체력을 다졌고, 눈에 띄게 유연한 몸이 만들어졌다. 하지만 대학교에 들어간 후 왕복 4시간의 통학을 시작하면서 자연스레 등한시했다. 운동을 원래 좋아하지 않았던 나였기에 몇 달을 쉬고, 몇 달을 다니길 반복했더니 이내 주짓수와 마찬가지로 흥미를 잃고 잠정적으로 쉬게 되었다.

　신경통을 꾸준히 치료하고, 약을 복용했더니 미미하지만, 점차 이전의 생활로 돌아오기 시작했다. 하지만 언제라도 무너질 수 있는 젠가처럼 아슬아슬하게 맞춰 놓은 건강일 뿐이었다. 이제 유지하려면 처음 의사 선생님이 말씀하신 대로 균형 잡힌 식단, 규칙적인 운동을 생활화할 차례다. 신경통은 완치가 힘들기 때문에 면역력이 조금이라도 떨어지면 언제든 재발할 수 있다고 했다. 건강을 잃었다가 되찾고 보니 더욱이 아프지 않은 하루가 소중하게 느껴졌다. 간절히 지키고 싶었다. 내가 되찾은 건강을 지키는 방법은 단 하나, 면역력 관리였다.

평소에도 면역력이 떨어지지 않도록 하기 위해 매일 비슷한 시간에 기상하고 잠을 자는 루틴부터 만들었다. 입이 짧고 가리는 음식이 많았지만 조금이라도 늘리기 위해 입에도 대지 않던 야채를 조금씩 먹기 시작했다. 뒤늦게 면역력을 높이기 위한 '생존 운동'을 해야 하겠다는 결심이 섰다. 대상포진으로 지칠 대로 지친 나는 나의 건강을 지키겠다는 각오로 두 주먹 가득 쥐어 보이며 실내 클라이밍 장에 들어섰다.

매번 바닥에서 운동을 해왔던 나에게 벽을 오르는 클라이밍은 그 자체로도 새롭고, 신선했다. 과거의 경험으로 조금이나마 익숙한 주짓수나 요가 대신 클라이밍을 선택한 이유이기도 했다. 클라이밍을 제대로 하기 위해서 강습도 받았다. 벽에 붙어있는 돌은 '홀드'라는 명칭이 있었고, 눈에 보이는 아무 홀드를 잡고 올라가는 게 아니라 올라가는 과정에도 규칙이 있었다. 규칙이 몸에 익기 전에는 어디로 손을 뻗어야 할지 헤매기 일쑤였지만 뒤에 기다리던 사람들이 한마음 한뜻으로 길을 알려주었다. 또한, 꼭대기(Top)에 매달렸을 때는 처음 보는 사람도 '나이스!'라고 외치며 응원하던 장면이 기억에 남는다. 그게 처음 클라이밍에 마음을 붙이게 된 계기가 되었다.

강습을 받았지만, 처음에는 벽에 매달려 있는 시간이 조금만 길어져도 금방 팔에 힘이 빠져 매트로 떨어졌다. 또, 홀드 모양마다 잡는 방법이 다르다는 점을 망각하고 잡히는 대로 올랐더니 살갗이 벗겨져 손바닥이 따가웠다. 요령이 없는 상태로 매달려서 버티기만 하자 다음 날 전혀 예상치 못한 부분의 근육통을 앓기도 했다. 그런데도 마음가짐이 이전과 달라서인지 내 발은 다시 클라이밍 장으로 향하고 있었다.

초심자일 때는 가장 단계가 낮은 구간만 찾아다니며 오르내리길 반복했다. 단계가 낮은 구간의 홀드를 잡고 발을 내딛는 것에 익숙해지고 나서는 점차 단계를 올렸다. '내가 과연 할 수 있을까?' 싶었던 단계에도 도전했다. 과정 자체에도 즐거움이 있었고, 탑을 찍으면 성공하는 대로 성취감이 있었다. 새로 오신 분이 내가 넘어선 구간에서 헤매고 있으면 예전에 내게 도움을 주었던 목소리들을 상기시키며 똑같이 길을 알려드렸다. 클라이밍 중 몇 번 오르고, 내려와서 쉬기를 반복하다 보면 처음 보는 사람들과 어느새 도란도란 이야기를 나누고 있었다.

나처럼 운동이 필요해서, 체력을 기르기 위해 시작하게 된 사람이 꽤 많았다. 이외에도 직장인이라고 자신을 소개했던 사람은 반복적인 일상에 전환점을 만들고 싶다며 조금은 힘들어도 하루 종일 받은 스트레스를 클라이밍으로 보상받는 기분이 든다고 했다. 부상이 있었음에도 클라이밍이 좋아서 꾸준히 하는 경우를 포함해 외적이나 내적인 아픔을 극복하려고 하는 사람도 있었고, 신기해서 일일 체험으로 왔다가 지금까지 계속하고 있는 사람, 대회에 출전하기 위해 매일 강습을 들으러 오는 사람도 있었다.

어떻게 클라이밍을 시작하게 되었는지, 시작한 지는 얼마나 되었는지 같은 시시콜콜한 이야기에서 시작해 대화를 나누다 보면 시작한 계기는 제각각 달라도 꾸준히 하는 이유는 다들 비슷했다. 어찌 됐든 '좋아서'였다. 금세 각자의 벽으로 흩어졌지만, 잠깐의 대화들이 모여서 큰 응원이 되었다.

한 달가량 쉬었다가 가도 관장님이 내 얼굴을 알아보기 시작할 무렵, 그러니까 이전의 운동들과 달리 재미를 붙이고 일상의 일부가 되었을 때, 이제 벽에 더 오래 매달려 있고 싶다는 욕심이 생겼다. 이겨 내 보고 싶었다.

클라이밍을 잘 모를 때는 팔을 뻗어서 매달리는 운동이니 팔 근육만 중요한 줄 알았다. 그런데 팔 힘은 등 근육에서 나오는 것이었다. 등 근육이 여간 필요한 게 아니었다. 클라이밍에 욕심을 가졌더니 자연스레 상체 운동에 전반적으로 관심이 생겼다. 여러 홀드를 만나보니 하체 근육도 만만치 않게 중요했다. 그래서 그토록 운동을 싫어하던 내가, 그저 살기 위해 체력을 기르고자 운동을 시작했던 내가 상체 운동과 하체 운동은 어떤 종류가 있는지 자발적으로 찾아보기 시작했다. 그리고 헬스장에 등록했다.

사실 헬스장은 나에게 편견이 가득한 공간이었다. 쇳내로 가득하고 근육질의 남자들이 모여 우렁찬 기합을 넣는 풍경을 떠올렸다. 그래서 처음에는 가기를 망설였지만, 처음 상담을 받으러 들어간 헬스장은 내가 생각한 모습과 전혀 달랐다. 애초에 편견을 가졌던 내가 우물 안 개구리로 느껴질 정도로 성비도 비슷했다. 모두 운동에 집중하고 있었지만, 우렁찬 기합만 오가는 딱딱한 분위기가 아님에 용기를 얻었고 클라이밍을 하기 위한 것으로 생각하니 없던 힘도 샘솟았다.

그렇게 실내 클라이밍을 기점으로 학창 시절 처음 도전했던 운동인 주짓수와 요가를 제외하고도 헬스, 필라테스, 킥복싱, 스쿼시, 스피닝

등 꽤 다양한 종류의 운동을 시도하게 되었다. 다양한 종류의 운동을 접해 보았음에도 유독 클라이밍에 애정을 갖는 이유는 따로 있다.

클라이밍을 하다 보면 등반 전 해야 할 일이 꽤 있는데 이 중 하나가 미리 내가 올라갈 길을 봐두는 '루트 파인딩(route finding)'이다. 대강 올라가면 될 것 같지만, 막상 벽에 매달리고 나면 어디로 어떻게 가야 할지 헷갈리는 일이 생기기 때문에 중요한 과정이며 나는 이때를 가장 좋아한다. 루트 파인딩을 제대로 하고 벽에 덤볐을 때도 막상 길이 보이지 않을 때가 있다. 억지로 버티는 것은 체력이 있다면 단련이 덜 되어있는 사람보다 오래 버틸 수 있을지 모른다. 하지만 벽에 매달려 있는 상황에서 급하게 헤매느라 팔 힘만 떨어질 뿐 판단에 별 도움이 되지 않기 때문에 오히려 제대로 된 길을 찾고자 하는 클라이머들은 이런 상황이 오면 도중에 멈추고 내려와서 한 걸음 물러나 다시 길을 찾고, 시뮬레이션을 해 본 뒤 도전하곤 한다. 여러 번 오르내리고 깨달은 것이었다. 클라이밍이라는 작은 세계에 인생이 녹아 있다고 느낀 순간이기도 했다. 나는 나의 인생에 대상포진 그리고 신경통이 찾아왔을 때 오직 버티기만 했다. 지금까지 오른 것이 아까웠고, 버티다 보면 길이 보일 것만 같았다. 그 끝에 찾아온 건 도리어 추락이었다. 루트 파인딩이 충분하지 못해서 버티기만 하다가 떨어진 경우다.

내가 처음 추락한 부분은 회사를 포기한 것이었다. 나는 모 대학교의 경영과를 졸업했고, 기업의 전반적인 흐름을 알아가는 과정이 즐거웠다. '내가 알게 된 기업을 대중에게 홍보하는 일은 어떨까?' 하는 생각을 바탕으로 마케팅 직무에 관심을 두게 되었다. 자연스레 마케팅과 연관 지어 취업의 꿈을 꾸었던 것 같다. 주변에서 천천히 해도 괜찮다, 쉬어 가도 괜찮다며 만류했던 기억이 난다.

다만 주변의 만류에도 의욕이 앞섰고, 하고자 하는 일에 욕심이 많았던 탓인지 대학교 마지막 학기 기말고사 기간에 가고 싶던 회사에 지원했다. 회사 측의 배려로 기말고사가 포함된 그 다음주로 면접 날짜가 잡혔다. 기말고사를 치자마자 부리나케 면접 준비를 한 덕분에 나는 대학교를 졸업하기도 전에 합격 연락을 받았고, 출근까지 할 수 있었다. 바쁘지만 행복한 나날이었다.

신경통은 입사 직후부터 시작되었다. 새로운 일을 배운다는 스트레스까지 합세하자 신경통은 날이 갈수록 날뛰었다. 일을 배우며 통증이 있을 때마다 휴게실과 화장실로 달려가 통증이 빨리 없어지기만 기다리다 자리로 돌아오길 반복했다. 남들에게 민폐 끼치기 싫어서 자리를 비운 만큼 배로 열심히 했더니 저녁에 돌아오면 기절하듯 잠에 들었다.

일이 별로 없고 한가할 때는 잠시 자리를 비워도 괜찮았지만, 일이 많고 바쁠 때 아프면 눈앞이 새하얘졌다. 모니터에 시선을 집중할 수 없어서 굉장히 애를 먹었다. 점심시간에는 입맛이 없다는 핑계로 자리에 엎드려 있거나 휴게실에 누운 상태로 보냈다. 식사를 거르는 날이 늘어나다 종내에는 근처 내과에 가서 링거를 맞으며 점심시간을 보냈다. 허리를 펼 수 없을 정도로 왼쪽 갈비뼈가 아팠던 어느 날, 여느 때처럼 화장실로 달려가 온몸을 쥐어짜며 애꿎은 왼쪽 갈비뼈 부근의 피부만 쓸어내리고 있었는데 주머니에 넣어둔 핸드폰이 반짝였다. 꺼내 보니 네이트온 메시지가 여러 개 와있었다. 내가 속한 마케팅팀 단체방이었다.

[우리 팀, 긴급회의 잡혔어요! 다들 자리에 계시죠?]

[단비 님이 없네요.]

[단비 님, 빨리 들어오실 수 있나요?]

[단비 님, 메시지 보시면 답장 부탁드려요.]

내용을 확인하고 식은땀이 얼굴과 손에 배어 나왔지만, 나는 어떤 액션도 취할 수 없었다. 당장 상체를 일으킬 수 없었고 회의에 참석하기 위한 준비도 할 수 없었다. 결정적으로 지금 상태로는 회의를 위해 앉아있을 수가 없었다. 마음은 조급한데 몸이 따라주지 않으니, 발만 동동 구르는 것 외에 할 수 있는 게 없었다. 그렇게 회사는 1년을 채 보내지 못하고 퇴사하게 되었다.

신경통을 억제하는 약을 먹고 부작용으로 눈이 감겨도 억지로 참아가며 열심히 버텼지만, 9시간을 같은 자세로 앉아서 보내기에는 역부족이었다. 신경통을 이겨낼 수 있다고 생각한 나를 비웃듯, 버틸수록 통증은 커져만 갔다. 내가 꿈꿔온 업무는 즐거웠으나 앉아있는 자세는 힘들었고, 좋은 동료들을 만났으나 이제 회사가 아닌 각자의 자리에서 응원을 주고받게 되었다. 그렇게 사직서를 제출하고 앞으로 다시는 회사에 들어갈 수 없을 것이라는 부정적인 생각에 잠식되었다.

퇴사하고 나니 남들보다 시간이 많이 생겼다. 하지만 내가 생각하는 '정상적인' 일상으로 얼른 복귀해야 한다는 강박에 사로잡혀 병원에 다니기 바빴다. 그 시간을 처음부터 나를 돌아보는 데에 할애했다면 어땠을까 아쉬움이 남는다.

회사만큼 힘들었던 것은 인간관계였다. 병중 친구들과 담을 쌓고 지낸 것은 아니지만, 걸핏하면 왼쪽 갈비뼈 안쪽에서부터 날카로운 통증이 몰려와서 친구와의 만남이 전보다 힘들었다. 홍대입구역에서 만나 밥을 먹기 위해 연남동으로 걸어가는 그 잠깐 사이에 옆구리가 너무 아파 길 한복판에 주저앉은 적이 있다. 일어서지도 앉지도 못한 엉거주춤한 상태로 수십 분을 있었던 것 같다. 오랜만에 만나 어떤 음식을 먹을지 메뉴를 고르고 가는 내내 서로 메뉴를 정하며 재잘댔지만, 그 음식점까지 걸어갈 엄두가 나지 않았다. 다른 사람들의 시선보다 친구들에게 미안해서 눈물이 났다. 근처에서 간단하게 밥을 해결했고 친구들은 내가 괜찮아질 때까지 충분히 기다리다가 집에 데려다주었던 속상한 기억이다.

한 번 만나면 앉은 자리에서 3시간은 족히 앉아 근황을 이야기하던 친구들이 1시간도 채 되지 않아 귀갓길을 함께 하는 모습을 보니 미안함을 넘어서 속상한 감정까지 들었다. 하는 수 없이 여럿이 만나는 날에는 식사만 함께하고 먼저 귀가해야만 했다.

친구에게 연락이 오면 늘 '미안하지만'이 붙었다. "미안하지만 중간에 아프면 먼저 집에 가도 될까?", "미안하지만 술까지는 마시지 못할 것 같아." 이런 날이 반복되니 친구들이 오히려 나를 배려하기 위해 식사까지 마치면 슬슬 집에 가자고 먼저 운을 뗐다. 언제까지 이해를 바랄 수도 없고, 즐겁게 이어지는 분위기를 내가 흐리는 것만 같아 친구들이 보고 싶어도 먼저 만나자고 손을 뻗을 수가 없었다. 중간에 아프면 먼저 일어나도 괜찮으니, 얼굴이라도 보자던 연락은 고마움과 동시에 부담이 되었던 것이다.

폭풍 같던 시간을 보내고 되돌아보니 어디에도 당연한 것은 없었다. 기존에 주어진 '건강'은 행운일 뿐이었다. 건강의 중요성을 모를 때는 바쁘다는 핑계로 운동을 게을리했고, 가벼운 스트레칭마저 소홀했다.

하지만 나의 의지와 상관없이 닥치는 건강 악화는 누구에게나 갑자기 생길 수 있는 일이다. 지금 가진 건강을 지키기 위해서는 평소에도 스트레칭, 조깅처럼 접근성이 좋은 방법으로 시작하여 체력을 다지는 습관이 필요하다. 가끔은 귀찮고 번거롭게 느껴질 수 있지만 귀찮은 감정을 넘어설 만큼 실컷 좋아하고 즐기면 된다. 나의 몸을 위해서라면 이런 감정을 뛰어넘어야 무엇이든 시작할 수 있다.

또한, 운동을 한다는 건 실질적으로 몸의 근력을 키우는 일이지만, 운동을 하는 과정을 통해 내 마음에 근육을 붙이는 것과 같았다. 몸이 따라주지 않으면 자연스레 마음가짐이 약해지고 이는 무엇이든 쉽게 포기하게 되는 원인이 되기 때문이다. 코어가 단단히 자리한다면 더욱 균형 잡힌 건강한 인생을 즐길 수 있도록 이끌어 줄 것이다.

또한, 운동을 하며 스스로 목표를 세우고, 실행하기까지 땀 흘리는 과정을 거치니 성취감도 느낄 수 있었고, 마음의 심리적인 안정을 찾는 것에 많은 도움이 되었다. 건강과 미래지향적인 마인드 두 마리 토끼를 잡는 것이다.

암벽 등반에서 등반이 가장 어렵고 힘든 지점을 크럭스(crux)라고 한다. 긴급회의가 잡혔던 날, 팀의 막내였던 내가 화장실에서 신경통으로 이를 악물며 몸부림치는 동안 회의가 시작됐다. 직속 사수에게 속이 안 좋아서 화장실에 있다고, 금방 들어가겠다고 둘러댔다. 더 이상 시간을 끌 수 없었다. 식은땀을 훔치며 회의실에 들어갔을 때는 벌써 회의의 막바지였다. 대상포진에 걸리고 처음 찾아온 크럭스다. 앞만 보기에 급급한 나머지 회사에 다니지 못하면 모든 것이 끝나는 줄 알았고 버티고 버티다 그렇게 좋아하던 일을 그만두겠다고 말하던 날은 내게 추락을 의미했다.

하지만 영원할 줄 알았던 신경통은 꾸준한 치료와 규칙적인 운동, 식이 요법으로 조절하고 있다. 면역력이 약해지면 신경통은 언제든 고개를 내밀겠지만, 다시 이겨낼 자신이 있다. 누구보다 고통스럽게 떨어져 봤고, 그만큼 누구보다 치열하게 크럭스를 넘어섰기에 이제는 하강이 두렵지 않다. 다음에는 더 빠르고 더 용감하게 오를 수 있다는 믿음이 생겼기 때문이다.

나는 스무 살에 수포 없는 대상포진 발병으로 영문도 모르고 아팠다. 여러 병원을 오가며 헤맸지만, 끝내 병원도 병명도 찾게 되었다. 병명을 알면 끝인 줄 알았으나 신경통이 지독하게 따라다니며 괴롭혔다. 이 때문에 회사도 그만두었고, 20대 초반의 추억도 남들보다 적지만 그만큼 남은 20대와 앞으로의 인생을 더욱 열과 성을 다해 오르겠다고 생각한다.

　멈추게 되었을 때 조급해하지 말자. 우리는 문제의 상황에 부닥쳤다면 휴식이 필요하다. 암벽에서 내려와 길을 살피듯, 한 걸음 물러서서 다시 그 길의 방향성에 대해 생각해 볼 필요가 있다. 내가 맞게 가고 있었다면 '지금까지 잘하고 있었구나.' 자신에게 충분한 칭찬을 주고, 헤매고 있었다면 '이제라도 알아서 다행이다.' 하며 재정비하면 된다.

　물론 묻지도 따지지도 않고 버티는 것이 장사인 경우도 존재할 것이다. 그러나 당장 길이 보이지 않는다고 우직하게 버티기만 한다면 비축해 둔 힘만 내주다 떨어지는 '추락'이 된다. 하지만 재탐색을 위해 아래로 내려와 다시 길을 살피는 것은 도약을 위한 '하강'이다. 길은 분명히 있고 보이는 것만이 전부가 아님을 이제는 알기에 인생이라는 암벽에 내던져진 모든 등반자가 덜 헤매고 더욱 맞는 길을 잘 찾아갔으면 하는 마음이다.

나의 옛날이야기

박태랑

박태랑　늘 후회한 시간을 곱씹는 버릇이 있다. 소심하면서 대범하고, 내성적이면서 외향적이다. 늘 남에게 맞추는 삶을 살아왔다고 생각하고 최근 나만의 기준을 찾고있다. 나만의 기준을 토대로 35살을 맞이하기 위해 다양한 도전을 즐긴다. 일이 나를 따라다닌다고 생각할 정도로 늘 바쁨을 달고 살지만, 그 일이 있어 행복함을 느낀다. 내년이면 아버지가 70살이 되신다. 일도 좋지만 앞으로 행복의 1순위는 가족이라며 올해를 살아가고 있다. The challenge continues.

도전과 실패의 연속, 나의 학교생활

　미래에 대한 준비도 없었다. 감투를 좋아하는 그저 평범한 시골 새내기. 내가 늘 관심이 있던 건 친구들과 술 마시며 성인이 된 것을 즐기는 것밖에 없었다. 다만 항상 어떠한 감투를 맡기 위해 최선을 다했고, 감투를 맡았을 땐 반드시 성과를 내기 위해 노력했다. 친구들은 그런 나를 과감하게도 크게 성장할 인재라며 치켜세우며 자신감을 북돋아 주었다. 사실 수줍음을 잘 타고 낯을 많이 가리는 편이지만 주목받는 것이 너무 좋았다. 아무런 비전 없이 정치인이 되겠다는 초등학생은 공부에는 전혀 관심이 없었다. 그저 감투와 주목받는 것에만 관심이 많은 아이였다. 친구 집에 놀러 가기 좋아했고, 피시방에서 스타크래프트와 리니지를 하고 학교 앞 문구점에서 소시지를 사서 먹는 그저 평범한 초딩이었다.

　그런 내가 초등학교 3학년 때 김대중 후보와 이회창 후보가 맞붙는 대통령 선거를 TV로 접하면서 정치에 푹 빠졌다. 특히 기억에 남는 것은 아무것도 모르는 초등학생이 속으로 '김대중이 이겼으면 좋겠다' 라는 생각을 했던 게 기억난다. 지역 정서가 반영되어 그랬던 것일까? 무슨 이유인지 모르겠지만 김대중 대통령 당선을 기원하며 늦은 밤까지 TV를 봤던 기억이 있다. 다음 날 일어났을 땐 당선인이 결정된 후였다. 그때부터 '정치'라는 것에 관심을 갖게 됐다. 그저 정치를 좋아하는 것으로 그치지 않았다. 그날 이후 부모님이 권했던 2:8 가르마 헤어스타일을 시작했다. 아침마다 엄마의 정성스러운 빗질이 나의 외출 마지막 코스였다. 부모님은 그런 2:8 헤어스타일을 한 날 매우 만족하는 눈빛으로 보셨다. 동창생들은 아직도 날 2:8로 기억하고 있을 정도다. 처음엔 친구들이 놀리기도 했지만, 지금은 졸업사진 중 내가 제일 깔끔해 보이니 매우 만족이다.

2년이 지난 초등학교 5학년. 전교부회장에 출마를 결심했다. 결과는 당선. 다음날 친구들의 반응은 폭발적이었다. 첫 도전 성공에 난 심취했다. 심취한 나머지 6학년 전교회장 선거에서 뜨거운 패배를 맛봐야만 했다. 같은 아파트에 사는 친구가 대결 상대였는데, 당시 유행하던 실내화 연설을 시전했다. 신고 있던 실내화를 벗어 높이 들어 올리며 "이 실내화가 닳도록 열심히 뛰겠습니다!!"라고 말이다. 패배를 직감했다. 사실 난 모든 사람이 날 좋아할 줄로 착각하고 있었다. 단지 인사성이 밝아 선생님들 눈에 띄었고, 친구들보다 키가 크고 인기가 좋은 아이일 뿐인 그저 활발한 아이였다. 그 경험으로 패배의 쓴 맛을 처음으로 느꼈다. 아직도 여전히 그 패배는 가슴 속 깊숙이 자리잡고 있다. 나의 첫 번째 패배. 두 번 다시는 지지 않겠다고 결심했다.

어느덧 중학교에 입학하게 된 나는 1학년부터 반 실장을 3년간 맡았다. 2학년 때는 전교부회장을, 3학년 때 전교회장에 당선됐다. 중학교에선 패배의 쓴맛을 본 지 얼마 지나지 않아 전략을 나름대로 계획했다. 전교부회장 선거에는 1학년과 3학년 선후배와의 운동에 적극 참여했고, 3학년 때 회장 선거에서는 당시 모범생인 친구를 부회장 후보로 섭외해 함께 선거를 치렀다. 당시 부모님께 선거 전략을 여쭤보았고 당에서 근무하셨던 어머니께서는 스킨십이 중요하시다면서 한 명 한명 악수를 하는 방법을 알려주셨다. 전략은 성공했고 학생회장에 당선되어 졸업앨범에 학생회장 사진을 남길 수 있었다. 아쉽게도 지금 생각해보면 중학교 때도 크게 바뀐 건 없었다. 누군가 앞에 서서 주목받고 싶었던 것이 전부였다. 하지만 자리가 사람을 만든다고 했던가. 우리 학교는 담배 피우는 학생들이 많았다. 눈에 띄지 않는 공간엔 늘 담배꽁초가 넘쳐났다. 이후 쉬는 시간과 점심 시간에 선도부와 함께 집중 단속을 시행해 학교는 담배꽁초 하나 없는 학교가 되었다. 어머니께서 학부모회장을 맡았다. 아들이 학교생활에 집중하니 부모님도 참여했다. 학교 축제에 부모님들도 참석하게 하여 음식 부스를 차려 한층 더 풍성한 축제가 됐고, 일반적인 흰 셔츠가 교복이었던 우리 학교는 파일럿 제복의 어깨 견장을 참고해 어머니께서 디자인한 셔츠가 새로운 교복으로 채택됐다. 이후 학생회 간부들과 학생부 선생님 간 사이고 가까워져 함께 O.T도 다녀오는 시간을 갖게 되었다. 나는 학교 내외로 주목받게 되었고, 지역 학교 학생회장 중 추천을 받아 전북 학생 대표단 구성원으로, 육로로 개통한 금강산에 갈 수 있었다.

경남에 있는 항공고등학교를 진학했다. 아버지께서는 항공산업이 앞으로 크게 발전할 것으로 예측하셨다. 전국에서 학생들이 모였다. 교내에는 작은 격납고가 있어 작은 비행기 3대 정도가 정비 학습을 위해 자리잡고 있었다. 전교생 기숙사 생활을 해야 했고, 선배와 후배 간의 위계질서는 다른 학교와 비교할 수 없을 정도로 강했다. 1학기를 마칠 때쯤 나는 전교부회장에 당선됐다. 하지만 나는 항공기 정비에 관한 관심이 좀처럼 늘지 않았고, 재능도 없었다. 결국 고향의 고등학교로 전학을 선택했다. 사실, 당시엔 전학을 다니는 친구들을 보면 부러운 마음도 있었던 것 같다. 두 개의 학교를 나와 친구도 많이 사귀고 새로운 경험도 한다고 생각했다. 지금 전학에 대한 후회는 없지만, 도전에 대한 중도 포기의 아쉬움은 늘 자리잡고 있다. 한 학기 동안 동고동락했던 항공고 친구 중 공업계열에 잘 적응하고 열심히 공부한 친구는 공학박사도 되었고, 현대로템에 입사하기도 했다.

하지만 나는 이공계열과는 거리가 멀었고 목표도 뚜렷하지 않았던 터라 전학을 간 것이 나의 정치인에 대한 꿈을 중도 포기를 하지 않고 다시 제 자리를 잡았다고 볼 수도 있을 것 같다. 전학을 와서도 2학년 때부터 3학년 때까지 실장을 맡았다. 여전히 공부는 썩 잘하지 못했다. 전학을 가자마자 친구들과 축구팀을 만들어 학교 대항전을 하고 다녔다. 그때부턴 별명이 '박실장', '박감독'이었다. 공부를 해야한다는 강박관념은 늘 머릿속에 있었다. 그래서 독서실을 다니며 공부하겠다고 마음먹었지만, 친구들과 함께 독서실 근처에서 놀았다. 지금 생각하면 추억이지만, 그때 조금 더 공부를 마음먹고 해보지 못한 후회는 늘 남는다. 고등학교는 남녀공학이었다. 나이도 성인을 향해 가고 있었다. 단순한 전략으로는 학생회장에 당선되는 것은 무리였다. 2학년 가을. 운동장을 둘러싼 갈색 잎이 떨어지고 찬 바람이 불 때쯤 학생회장 선거가 시작됐다. 상대 후보는 운동도 좋아하고 공부도 잘하는 친구였다. 하지만 친구와 선후배 관계가 폭넓게 자리잡지 않은 친구였다. 방심은 금물이라고 했던가. 전략은 중학교 때와 같았다. 부회장 후보로 성격이 좋고 모범생인 친구를 섭외했다. 선거 유세를 다른 학교에서 진행한 방법을 선택했다. 여학생 유권자에게 재미를 주기 위해 선택한 방법이었다. "눈이 오나 비가 오나 바람이 부나~~" 노래로 선거 유세를 시작했다. 옆에선 눈이 내리고 비가 내렸고 바람이 불었다. 특수효과를 첨가한 것. 하지만 반응은 싸늘했다. 선거 유세가 앉아서 진행하는 방송으로 이루어 진 것도 처참한 반응의 원인이었다.

선거 방식조차 미리 확인하지 않았던 나는 결국 패배했다. 약 6년 만에 맛보는 두 번째 패배였다. 당시엔 얼굴을 들고 학교에 다니지 못할 정도의 수치심과 부끄러움이 느껴졌다. 또 '내가 저 친구보다 나은 것 무엇인가?' 하는 자괴감에 빠져들었다. 그 친구는 운동과 공부도 잘했다. 집에 들어가면서 뜨거운 눈물 한 방울 흘렸다. 그 뒤로 울지 않았다. 승부욕이 생겼다. 그때 알게 되었다. 내 목표를 이루기 위해선 철저한 준비가 필요하다는 것을. 선거 이후 패배의 쓴맛을 본 나는 3학년이 되었다. 역시나 반에선 실장을 맡았다. 당시 3학년 주임 선생님의 나에 대한 신뢰는 변치 않았다. 제주도로 가는 수학여행지에서도 학생들을 통솔하거나 숙소를 이탈하지 않도록 입구를 지키는 것은 나의 담당이었다. 나는 조금씩 마음의 안정을 찾았고 학교생활에 잘 적응할 수 있었다. 그 선생님의 마음이 나에게 전해진 것인지 선생님의 과목은 사회탐구 영역에 대한 점수는 다른 교과목에 비해 많이 성장할 수 있었다. 패배 이후 대학교 진학에 대한 목표가 뚜렷해졌다. 담임 선생님은 경기권에 있는 경찰행정학과를 추천했다. 리더십 전형 등으로 가능할 거라고 했다. 목표와 무관했다. 선생님의 추천을 뒤로하고 지방 사립대 정치외교학과에 서류를 넣었다. 합격했다. 내가 세운 목표를 위해 전문적인 학문을 배우기 위한 첫걸음이 시작됐다.

성공이 주는 배움, 실패가 주는 배움

성인이 되었다. 설레는 마음으로 친구들과 캠퍼스의 낭만을 마음껏 누리겠다는 생각이 가득했다. 입학식만을 기다렸다. 2008년 3월 입학식이 진행됐다. 신입생 1만 8천 명이 체육관을 가득 채웠다. 행사가 시작되자 총장님을 비롯한 교수님들이 박사복을 입고 등장했다. 그 뒤를 이어 총학생회장과 부총학생회장이 입장하는 것이 눈에 띄었다. 생각보다 몸이 먼저 반응했다. "아! 저거다!"

입학한 지 일주일. 학과 생활에 적응하기도 전 학생회관 3층에 있는 총학생회실 문을 두드렸다. 총학생회의 문을 연 순간 10여 명의 선배가 신입생환영회 등 행사를 준비하고 있어 각자의 위치에서 분주하게 움직이고 있었다. 그 중 고참으로 보이는 여자 선배에게 다가가 말했다. "총학생회 새내기 간부로 활동하고 싶습니다. 뒤를 돌아본 선배는 준비되어 있던 새내기 간부 신청서를 꺼내어주며 작성하고 있으면 안내해주겠다고 하고 다시 일에 집중했다. 얼마나 지났을까. 작성을 마친 나는 학생회 내부를 두리번거리며 일이 어느 정도 마무리되기만을 기다리고 있었다. 안쪽에 있던 작은 공간의 문이 열렸다. 정장을 입은 까무잡잡한 선배가 질문하며 나에게 다가왔다. "총학생회에 가입하고 싶다고? 여기서 뭐하고 싶은데?" 나는 대답했다. "총학생회장 하려고요." 순간 선배들은 하던 일을 멈추고 모두 나를 쳐다보더니 1~2초간의 정적을 깨고 모두 웃음을 터트렸다.

알고 보니 그 선배는 내가 입학식 때 멀리서 지켜봤던 부총학생회장 선배였다. 면접은 통과됐다. 약 10여 명의 새내기 간부 동기가 생겼다. 1학년 1학기를 학생회에서 보냈다. 현수막을 쓰는 장소가 2층과 3층 사이에 있었다. 직접 붓으로 글을 작성하는 시대였다. 홍보국장 누나를 따라다니며 글을 쓰는 방법을 배웠고, 기획국장 선배를 따라다니며 대동제를 체험하며 행사에 대한 디테일을 배웠다. 밤에는 총학생회장 형과 술자리를 가질 때도 있었다. 당시엔 총학생회장과 이야기를 나누며 미래에 대한 꿈을 키워갔다. 누굴 만나는가에 따라 인생은 많이 바뀐다. 당시 학생회에 대한 애정과 학교에 대한 신념이 누구보다 강했던 학생회장과 이야기를 나눌 때면 속에서 무언가 끓어오르는 듯한 느낌을 받았다. "나도 해낼 수 있어!"

그 외에 시간은 고등학교를 같이 다녔던 친구들과 술로 시간을 보냈다. 1980년대 같이 시국에 관한 이야기를 논한 것도 아니었는데, 매일 무엇이 그렇게 즐거웠는지 매일 술을 마시고 대학로에 있는 친구 자취방을 돌아다니며 시간을 보냈다. 기말고사가 끝나고 성적을 확인했다. 결과는 처참했다. 그걸 본 아버지는 입대를 권유하고 신청서를 직접 작성하기에 이르렀다. 2008년 9월. 지나간 무더위와 함께 나의 스무 살 자유도 함께 지나갔다. 자유가 제한되니 생각이 많아졌고, 자유를 참을 수 있으니 성숙이 찾아왔다. 국가의 부름을 받고 2년 1개월 7일이 지났다. 부모님의 곁으로 돌아올 수 있었다. 곧바로 도전을 실천했다. 전역이 비슷했던 초중고 동창인 창호와 함께 토익학원을 등록했다. 2개월 과정으로 창호의 차를 타고 매일 같이 수업을 들었다. 핑계를 대자면 머리가 굳어서인지 공군을 나와서 귀자 안 좋아져서 인지 듣기평가가 잘 안 들렸다. 우리 모두 토익 성적은 크게 오르지 않았다.

주저함이 없이 학교에 복학했다. 하지만 복병이 찾아왔다. 신입생 당시 총학생회 선배들은 모두 졸업하고 없거나 취업을 준비해 날 이끌어줄 사람이 없었던 것이다. 충격에 빠졌다. 처음으로 접해본 조직문화가 한순간에 없어진 것에 대한 처절함과 불안감은 컸다. 마음도 안정시키고 지식도 쌓아야겠다는 생각으로 난 매일같이 도서관을 찾았다. 고등학교 때가 생각났다. 부지런히 공부하지 않으면 나아지는 건 없었다는 생각에 절박함이 생겼다. 또 과거와 같은 패배가 있어선 안 된다고 생각했고, 누군가보다 뒤처진다는 것에 대한 압박감이 이때부터 생긴 것 같다. 지금은 멋지게 바뀌었지만, 우리 학교 중앙도서관은 영화에 나올 법한 비주얼이었다. 모든 것이 나무로 이루어져 있었고,

창문 사이로 들어오는 금색 햇빛은 집에 갈 시간이 다가오는 것을 의미했다. 우리 학교는 영화 클래식, 색즉시공 등을 찍을 정도로 캠퍼스가 아름답다. 이 외에서 많은 드라마와 영화에 학교가 등장했다. 난 그런 곳에서 공부하고 있다는 것에 감사했고 공부에 집중할 수 있었다. 그 결과 학부 240명 중 20등을 하게 되는 쾌거를 이루었다.

공부한 결과가 좋으니 금세 눈은 다른 곳으로 향했다. 학생회장 선거가 시작됐다. 몸이 반응하기 시작했다. 운이 좋았을까. 중앙동아리를 책임지는 총동아리연합회 회장이 중학교 선배였다. 덩치도 나와 비슷하고 어려서부터 함께 서예를 배우러 다녔던 형이었다. 기회를 놓치지 않고 함께 하고 싶다는 마음을 지속적으로 전했다. 중앙동아리 회장을 맡고 있었던 나로썬 총동아리연합회가 전혀 낯설지 않았다. 나는 총동아리연합회 집행국장으로 학생회에 다시 발을 들여놓게 되었다. 본격적으로 학생회 일을 배워 나가기 시작했다. 선거는 운이 반이라고 했던가. 나는 총동아리연합회장에 당선되었다. 첫 목표를 달성했다. 대표 공약으로는 학생회관 리모델링과 엘리베이터 설치, 동아리방 물품지원 등을 제시했다. 이제 학우들과 한 약속을 지킬 시간은 1년. 이번엔 약속을 지켜야 한다는 생각이 강했다. 분주하게 움직였다. 1년에 L.T 2회, 가을문화제 등 1박 2일 일정과 가을 축제도 담당을 하게 됐다. 먼저 동아리 활동을 하며 느꼈던 불편함을 해소하기 위해 학교에서 사용할 만한 물건이지만 폐기 처리하려는 물건을 동아리방에 지원했다. 책상, 서랍장 등 원하는 물품을 지원받아 동아리에 지원했다. 만족도는 매우 높았다. 학생회관 리모델링과 엘리베이터 설치는 필수였다. 장애를 가진 학우는 5층 높이의 학생회관에서 동아리 활동을 할 수 없는 구조였다. 또한 50여 년이 된 학생회관은 미래를 밝힐 청춘들이 사용하는 공간이라고 생각하지 못할 정도로 어두운 모습이었다. 당장 저비용 고효율 방안을 모색해야 했다. 미술대학에 찾아가 학생회장을 만났다. 학생회관 주변 페인트 공간과 페인트를 내어 줄 테니 미대 학생들이 마음 껏 벽화를 그려 달라는 조건이었다.

결과는 성공적이었다. 벽에는 미래를 꿈꾸는 대학생들의 모습과 자연이 어우러진 그림이 있는 벽으로 탈바꿈되었다. 쉴 틈이 없었다. 학생들이 대형 강의나 자치활동을 하는 학생회관 소강당과 대강당에 대한 리모델링 사업비를 공식적으로 학교에 요청해 통과됐다. 공사는 임기 말까지 마무리되었다. 많은 부분이 바뀌지는 못했지만, 학생들이 직접 몸에 닿고 사용하는 낡은 의자와 음향시설 등을 교체했다. 마지막으로 비용이 큰 엘리베이터가 문제였다. 오래된 건물에 어느 곳에 엘리베이터를 설치할 것이며, 등록금을 몇 년간 동결한 학교 측에서는 막대한 비용 지출이 문제였다. 학교 측에 찾아가 매년 적립해 수년 안에는 반드시 손을 보기로 약속했다. 1년 반 뒤면 졸업이지만 학교 측을 믿고 가을문화제 준비에 박차를 가했다.

대학교의 꽃은 축제라고 말해도 과언이 아니다. 대동제가 5월 가을문화제가 9월에 열린다. 하지만 많은 학우들은 축제에 대한 지루함과 질 낮은 축제 탓에 축제에 대한 기대감은 제로에 가까웠다. 나는 또 다시 고민에 빠졌다. 총동아리연합회에 배정된 가을문화제 비용은 약 2천만원 정도로 기억한다. 유명 연예인이나 아이돌 1~2팀을 부를 정도의 금액이었다. 상당히 큰 금액임에도 무대를 설치하고 의자를 셋 팅하는 등 비용을 제외하면 할 수 있는 것이 크게 없었다. 며칠을 고민 한 끝에 메티컬 4개 대학(의대, 치대, 약대, 한의대) 학생회장을 찾아 갔다. 메디컬 대학들도 매년 가을에 축제를 했지만, 4개 대학 자체적 으로만 했기 때문에 타 단과대학과의 교류가 거의 없었다. 나는 그 점 을 파고들기로 했다. 우리가 학교 중앙인 문화체육관 주차장에 무대 를 설치하고 연예인과 동아리에서 공연을 진행할테니 주점을 타 단과 대학 학생들도 참여할 수 있도록 문을 열어 달라는 조건이었다. 주점 에 사용할 비용을 줄인 나는 연예인 섭외에 몰두했다. 당시 진짜사나 이로 인기를 끈 샘 해밍턴과 아이돌 그룹인 AOA를 섭외했다. 그리고 사전 공연으로 밴드 동아리가 무대를 사용할 수 있도록 무대의 문도 활짝 열었다. 매년 열리는 대동제에서도 1천명의 학생들이 모이기 힘 들다는 저주가 있을 정도로 학교 축제는 재미가 없다는 편견이 깨지는 순간이었다. 하늘마저 도왔다. 가을비가 내리다 공연 시작 1시간 전에 멈추기 시작했다.

결과는 약 5천여 명의 학생들이 참여해 꽉 찬 축제가 되었다. 학생 처장님의 극진한 칭찬과 함께 축제는 막을 내렸다. 어느덧 임기 1년 이 흘러 11월이 되었다. 결과는 공약 이행율 90%를 달성했다. 성공적 이었다. 유권자는 다른 것을 크게 바라지 않았다. 약속을 지킨 나에겐 다름 행보가 자연스럽게 찾아왔다. 각 선거본부에서 날 부총학생회장 으로 영입하기 위해 찾아왔다. 총 3팀과의 소통 끝에 동갑 총학생회장 후보가 아닌 1살 형인 총학생회장 후보와 함께하기로 결정했다. 단 조건은 학생회 사업과 관련해서는 전권을 맡겨 달라는 제안이었다. 날 영입하기 위해서 함께 하기로 결정한 선거본부에서 흔쾌이 수락했다.

새로운 세상이었다. 16개 단과대학 학생회장 후보군과 5개의 자치 기구 위원장 후보군이 모인 거대 조직이었다. 총학생회의 당선을 위해 선거운동을 해주는 선거운동원만 300여명에 달했다. 혼자 하던 선거에서 조직적으로 함께하는 선거에 참여하게 된 것이다. 약 300명의 선거본부 운동원과 나는 파란 옷을 입고 학교의 모든 건물과 모든 강의실에 들어가 많은 학생들을 만났고, 결과는 압도적인 표차로 당선됐다. 1만 8천명의 학생대표가 된 것이다. 가슴은 벅차올랐고, 머리 속에는 공약한 내용들을 어떻게 해결할 것인가에 대한 고민이 많았다. 지금 생각하면 공약은 학기에 들어가기 전 고민을 했어도 충분했지만, 무엇이 그렇게 급했는지 도움을 준 선거운동원 한명, 한명에게 감사함을 더 깊게 표현하지 못한 것이 많이 아쉽다. 2014년 총학생회 간부로 함께한 친구들도 있지만, 그러지 못한 친구들에게 이 글로 감사함을 다시금 표현하고 싶다.

2014년 새학기와 함께 임기가 시작됐다. 다시금 길다면 길고, 짧다면 짧은 임기 1년이 시작됐다. 가장 중점으로 두었던 공약은 축제 다운 축제를 만드는 것과 학생회관과 단과대학에 엘리베이터를 설치하는 것을 포함한 교육여건개선 사업이었다. 이 문제들을 해결하기 위해선 학교와 협상이 필요했다. 그 첫 시작은 등록금심의위원회였다. 학생대표로 2014년 등록금을 책정하기 위해 위원으로서 등록금 인하에 대한 목소리를 냈다. 하지만 학교 측은 수년간 동결해왔기 때문에 인상하자는 취지의 발언이 이어졌다. 나는 학교 재정의 무수히 많은 부분을 들여다봐야 했기 때문에 대학연구소라는 곳에 찾아가 힘을 빌리기 시작했다. 서울에 위치해 있어 1박 2일 일정으로 서울을 방문해 등록금 사용에 대한 부분을 하나하나 따져 보기 시작했다. 대학교 등록금의 문제는 재정 건전성과 건설을 하기 위한 적립금 등이 늘 문제였기 때문에 그 부분을 중점적으로 파고 들었다. 이후 약 9차례 회의를 진행했다. 회의가 끝날 때마다 페이스북과 학교 인트라넷을 통해 학생들에게 회의결과를 정리해 발표했다. 처음 있는 일이었다. 이전까지는 대부분 학교 측과 밀실 협약을 해 학생회의 공약사항을 들어주는 대신 등록금을 인상하던지 동결하는 관례가 이어지기도 했지만, 나는 무조건 적인 등록금 인하의 목소리를 냈다. 학교는 등록금 일부분을 적립금으로 쌓아 두고 학교 주변 부지는 늘리는 데 집중하고 있었다. 당시 나는 학생이 자신의 질 높은 교육 서비스를 받기 위해 낸 피 같은 등록금이 학교 재산으로 변화하는 가장 좋지 않은 예로 보였다. 두고 볼 수 만은 없었다. 학내 모든 학생회 간부들이 대학본부 앞으로 모였고 등록금 인하를 외쳤다.

결과는 등록금 0.87% 인하로 마무리되었다. 하지만 의대와 치과대학 등록금은 타 학교에 비해 낮은 등록금이라는 이유로 3.8% 차등인상 되었다. 학교 측과 의견차이를 굽히지 못하고 학교 측의 요구대로 진행됐지만, 14개 단과대학은 지속적인 인상과 동결에서 인하로 바뀌는 변곡점이 되었다. 다만, 나는 학교 측에 동아리연합회장 당시 공약이기도 해서 애착이 있던 장애 학우를 위한 엘리베이터 설치를 위한 기금 마련 준비를 당부했다. 학교 측은 꼭 준비하겠다고 답변해 아쉽지만 등록금 심의는 마무리되었다.

어느덧 추운 겨울이 지나고 3월. 입학식이 거행됐다. 2008년 입학식 당시 멀찌감치 떨어져 앉아 지켜보던 신입생이 아닌 총장님을 비롯한 교수님들과 학교의 주인인 학생대표로 입학식에 입장하고 있었다. 자랑스러웠다. 장내는 매우 소란스러웠고, 무대와 입장하는 우리를 비추는 조명은 형형색색 화려했다. 학생들 사이로 학생회장과 함께 올라가 신입생들에게 인사말을 했다. 기억이 잘 나지 않지만 공약을 잘 지키는 학생회와 낭만이 있고 추억이 남는 재미있는 학교 생활을 선사하겠다는 약속을 했던 것으로 기억된다. 입학식이 끝나고 각 단과대학으로 흩어진 새내기를 만나기 위해 16개 단과대학에서 진행되고 있는 O.T장소로 이동했다. '나도 저랬을까?' 모두 하나같이 순수해 보이고 앳되어 보였다. 그 당시 생활과학대학에서는 신입생 4천명 중 유일하게 총학생회 페이스북에 학교 생활에 대해 질문한 새내기가 있었다. 고등학교를 졸업하고 학교 생활에 대해 준비하는 모습이 좋아 보여 모두가 보는 앞에서 단상으로 불러 영화 티켓을 주었다. 추후 그 새내기는 총학생회 간부가 되어 학회장까지 당선되어 활동했다. 그렇게 하루하루가 학우들을 만나며 순식간에 지나갔다.

어느덧 5월. 대망의 대동제가 있는 달이다. 하지만 세월호 참사가 벌어져 축제는 9월로 미루게 되었다. 학생회관 앞은 추모공간으로 바뀌고 희생자 중 단원고 교사였던 동문을 애도하기 위해 많은 학우들이 발길을 옮겼다. 그렇게 봄이 지나고 여름이 다가왔다. 여름방학엔 농활이 기다리고 있다. 나는 큰 규모의 사업을 좋아했다. 같이 비용을 써도 많은 사람이 참여해야 의미가 있다고 봤다. 모든 사업의 규모를 확대하기 시작했지만, 그 중 농촌 봉사활동의 인원을 두 배로 늘렸다. 기존에 진행하던 농촌봉사활동은 약 300~500여명 수준으로 4박 5일 정도 진행됐지만, 950명 규모에 6박 7일 일정으로 확대해 3개 군으로 흩어져 농민과 함께 청춘의 땀을 공유했다. 단순히 농촌에 일손을 돕는 것으로 한정했던 것이 지루해 보였던가. 처음으로 단체티를 맞춰 보기로 했다. 회의결과 젊음을 나타낼 수 있는 하늘색 티에 희색 글씨로 '땀 흘리는 청춘이 아름답다.'라는 문구를 새겼다. 또 과거에 벽화를 진행해본 경험이 있던 나에겐, 농촌의 지루한 회색 시멘트 담벼락은 벽화를 그릴 최적의 장소였다. 그 담벼락에는 드넓은 하늘을 나는 아름다운 나비의 날개를 그려 넣었다. 날개가 사람 크기만 해서 사진 찍기에 아주 좋았다. 농촌 일손만 보태는 것보단 그 마을에 우리의 흔적이 남길 바랐다. 이후 그 벽화가 마을을 지나는 사람들의 핫 플레이스가 되었다는 소식을 전해 들었다. 그렇게 청춘들은 7일간 함께 먹고 자며 아름다운 청춘의 추억을 쌓았다. 농활을 하며 느낀 점이 있다면 즐거워야 기억에 남고, 고생을 하더라도 참여해야 추억이 쌓인다는 것이다. 당시엔 덥고 벌레도 많아 짜증내는 친구들도 있었지만 지금은 기획하고 준비한 총학생회 간부들이 있었기에 좋은 추억이 생겼다는 것을 조금이라도 알아주었으면 하는 마음이다.

이후 전체 학생회 간부 L.T(leadership training)를 다녀오니 하늘이 높아지더니 청량한 가을이 다가왔다. 이제 대망의 대동제가 있는

9월이다. 방학기간 동안 늘 고민하는 것처럼 한정된 재원을 어떻게 확대하고 효율적으로 사용할 것인가 고민했다. 우선 학생들이 축제에 왜 참여를 하지 않는지에 대한 이유를 알아야 했다. 설문조사를 할 필요가 없었다. 질 낮은 축제 퀄리티와 저조한 참여도가 문제였다. 질은 어떻게 해서라도 높일 수 있다지만 참여를 이끌어 낸다는 것은 쉽지 않았다. 학생들의 니즈를 충족시켜야 했다. 우리 학교는 대학 축제의 낭만을 잊은 지 오래되어 다시 학교로 되돌아오게 하는 것은 쉽지 않았다. 머리를 써야 했다.

첫 번째, 가수 라인업을 확대하고 무대를 학교 정중앙에 위치한 대운동장으로 변경했다. 늘 돈이 문제였다. 수소문 끝에 맥주 Cass에서 대학 축제에 맞춰 가수를 지원해주는 카스 콘서트가 있다는 것을 알게 되었다. 하지만 각 광역자치단체별 대학 1곳만 섭외가 가능했다. 우린 국립대에 도전장을 내밀었다. 대학생들이 자체적으로 운영하는 주점을 늘리고 참여 인원을 1일 2만명 이상 올 수 있다고 장담했다. 주점에 들어오는 맥주를 하이트에서 카스로 바꾸기로 협의했다. 학교 측과 지역에서는 반발이 거셌다. 지역 술인 하이트를 들여오는 건 학교의 전통이라며 반대의사를 표시했다. 난 물러나지 않았다. 하이트에서 학교를 위해 무엇을 했는가. 지역에서 살아남기 위해서라면 지역과 상생할 방안을 모색했어야 했다.

결국 매년 타 학교에서 진행하던 카스 콘서트 유치에 성공했다. 2013년 3박 4일간 진행되는 대동제에는 유명 가수로 DJ DOC 한 팀이 참여했다. 2014년 선풍기 대동제에는 가수로는 허각, NS윤지,

AOA, 도끼, 더콰이엇, 산이, 4minute과 모든 MC는 코미디 빅리그 개그맨을 섭외했다. 파격적이었다. 지방 사립대에서 처음 있는 일이었다. 하지만 이것으로는 부족했다. 둘째, 가수 및 MC, 행사 프로그램에 대한 홍보 방식을 바꿨다. 전단지와 교내 현수막으로만 하던 축제 홍보에서 축제 홍보 영상을 제작해 SNS에 뿌리기 시작했고, 현수막은 도내 주요 사거리에 내걸렸다. 추후 석사과정 대학원에 입학해 서로 대학을 물어보던 중 학교 이름을 이야기했더니 "축제 유명한 곳"이라는 이야기를 들었을 때 꽹장히 뿌듯했던 기억이 있다. 셋째, 카스 측과 약속한대로 학생 운영 주점을 대폭 늘렸다. 두 배 정도 늘리고 난장을 확대했다. 행사 프로그램도 확대했다. 교내에 위치한 동산에서 서바이벌을 진행하고, 오전에 비어 있는 무대를 공연 동아리에서 사용할 수 있도록 했다. 또 응원대제전을 개최해 타 대학 응원단이 우리학교에서 대회를 펼쳤다. 처음으로 랩 노래대회도 개최했다. 말하지 않아도 결과는 매우 성공적이었다. 학교 측 추산 1일 3만여 명이 축제에 참여했다. 준비하며 고생도 많았지만 그 넓은 교내에 발을 디딜 곳이 하나 없어 어깨를 부딪히며 걸었던 적이 있었던가. 모든 학생들이 최고의 축제라 치켜세워주었다. 디스코 팡팡과 교내 호수에 배를 띄우자는 이야기도 있었지만, 안전 문제로 못하게 된 것이 지금도 아쉬운 마음이 크다. 그렇게 축제에 대한 로망을 현실로 만들고 나는 그 다음 스텝을 준비했다.

끝없는 도전과 한계, 그리고 성장

   그 뒤로 총학생회장에 출마했다. 보통 총학생회장과 부총학생회장 그리고 각 단위의 회장과 위원장을 학생회장급으로 인정했다. 총동아리연합회장과 부총학생회장을 역임한 나는 2번이나 학생회장에 당선된 경력자였다. 그리고 정규학기가 끝난 5학년이었다. 그것을 극복하기 위한 것은 누구보다도 치열하게 학생들을 위한 학생회를 만다는 것이었다. 하지만 2학기로 흘러갈수록 학교 내부 각 학생회 조직에서는 차기 회장을 준비하기 위한 움직임으로 분주했다. 우리 조직은 당연히 나를 차기 회장 후보군으로 내세울 준비를 하고 있었다. 하지만 나와 함께하던 선배들의 분열에 선거본부는 둘로 갈라졌고, 나는 세력을 규합하기 위해 다른 조직과 함께 선거를 치르게 되었다.

   험난한 싸움이었다. 나는 함께 학생회장에 당선된 친구들과 우정이 깊어져 함께 돈을 모아 주택 원룸 주인집을 임차해 살았다. 총 5명이 함께 살며 술도 마시고 해장국도 만들어 먹으며 아침, 저녁 할 것없이 함께 나날을 보냈다. 하지만 그 우정은 그리 오래가지 못했다. 당초 나는 함께했던 사람이 아닌 영입된 사람으로 그들의 우정에 미치지 못했던 것인지 모르겠다. 선거가 시작되자 5명 중 2명은 당초 선거본부의 선배에게 따라갔고, 2명이 나와 함께하기로 마음을 결정했다. 선거가 시작됐다. 두 조직의 규모는 비슷했지만, 압도적인 인지도와 지금까지 보여주었던 공약이행율 등을 종합했을 때 학생들의 판단은 우리의 압승을 예측하며 압도적으로 흐름이 흘러가고 있었다. 약 10일 간의 유세기간 중 반쯤 흘렀을까. 선거본부 담당자에게 연락이 왔다. "후보님 큰일났습니다! 어서 커뮤니티를 확인하셔야 할 것 같습니다." 등골이 오싹했다. '어떤 일을 벌이려는 걸까?' 공격할 것이란 생각조차 못했다. 함께 생활하고 함께 각자의 길을 가도록 이야기하고 끝난 사이였다고 생각했다. 페이스북를 확인했다. 최악이었다. 이후 각종 커뮤니티에 연달아 글이 올라오기 시작했다. 상대팀에서 여론전을 시작한 것이다. 진흙탕 싸움의 시작이었다. 익명으로 글을 쓸 수 있는 커뮤니티에는 입에 담을 수 없는 각종 욕과 비방하는 글이 올라왔다. 페이스북에서는 나와 다른 길을 선택한 친구들의 비방 글이 쏟아졌다.

"저 후보는 장학금을 횡령했다.", "기호 0번 후보는 축제비용을 횡령했다.", "00선거본부 후보는…"

머리속이 복잡했다. 해명할 방법을 찾았어야 했다. 내가 한 짓이 아니라고 설명할 방법을 찾아야 했다. 지금 생각한다면 너무 안일하게 대처했다. 방법을 찾았다면 그 후 그 대처를 실천하고 선거전략을 짰어야 했다. 그때의 난 일만 열심히 하면 사람들은 선택해줄 것이란 안일한 자만에 빠져 있었다. 그럼에도 불구하고 이길 것이라고 생각했다. 나는 검증을 받은 후보이며, 누구보다 깨끗하다고 자부했다. 하지만 사람들의 인식은 달랐다. 댓글이 달리기 시작했다. 사람들은 글을 공유하며 퍼 나르기를 시전했고, 조직적으로 움직였다. 선거 전략의 패배였다.

당하고 있을 수 만은 없다고 생각했다. 모든 비방 글을 캡처하고 프린트해 경찰서 사이버수사대 앞까지 고발을 하기 위해 2번 찾아갔었다. 하지만 하지 못했다. 함께했던 친구라고 생각했고, 단지 선거라고 생각했고, 선거가 끝나면 다시 괜찮아질 것이라고 나만의 정의를 내렸다. 그러면서 시간을 흘러갔다. 나와 함께하기로 합류한 다른 수많은 후보들에게 미안했다. 선거의 승패는 점점 기울어졌다. 사람들은 나를 의심의 눈초리로 쳐다보았다. 작년까지 날 지지했던 사람들도 나에게 등을 돌리기 시작했다. 나는 각 강의실을 돌아다니며 해명을 했지만, 유권자는 비방은 쉽게 믿었지만, 해명에 대해선 쉽게 믿지 않았다. 비방한 측에서 증거를 제시하지 못했지만, 비방을 당한 측에서 증거를 들이밀려 상세히 해명하길 바랐다. 사실확인이 되지 않았음에도 사실인지보다 중요한 것은 그들을 자극하는 소문이었다. 선거를 개표하는 날 모두가 모여 선거결과를 지켜봤다. 그간 잠을 거의 자지 못해 턱을 괸 상태로 잠이 들었다. 사람들의 울음소리에 잠에서 깬 나는 졌음을 짐작했다. 전략의 부재가 선거의 패배로 이어졌다. 나는 무덤덤했다. 선거 개표 방송을 지켜보던 부모님도 한숨을 주무시지 못했다. 우는 동지들을 뒤로하고 건물 밖으로 향했다. 해가 뜨기 시작했고 찬바람이 마저 달려있던 가을 나뭇잎을 떨어뜨리고 있었다. 그러던 중 부모님의 차를 발견했다. 마음을 추수리고 부모님께 다가갔다. "아들 괜찮아. 잘 했어. 고생했어."라며 엄마는 서둘러 날 위로했다. 형도 함께 와 화를 내며 비방한 놈들을 찾았다. 형은 키가 186에 몸무게가 120kg이 넘는 태권도 선수였다. 전라북도에서 대회만 나가면 헤비급 금메달을 땄을 정도로 괴력의 소유자다. 괜찮다고 집으로 가시라며 서둘어 보냈다. 참았던 눈물이 왈칵 쏟아졌다. 한참을 몰래 울고서야 운동원들이 있는 강의실로 들어가 감사의 인사를 전했다. 그리고 집을 향해 그간 자지 못한 잠을 청했다. 얼마나 잤을까? 자취방 초인종이 울리는 소리가 들렸다. 문을 열어보니 당시 총학생회장과 사무국장 등 함께 선거를 치룬 사람들이 찾아왔다.

선거결과를 인정할 수 없다며 기자회견을 하자는 내용이었다. 별로 하고싶지 않았다. 패배는 깨끗하게 인정해야 한다고 생각했다. 하지만 이번엔 달랐다. 초중고 때와는 달리 날 위해 선거운동을 해준 사람들만 300여 명에 달했다. 모두가 지쳤지만 난 리더로서 힘을 내야 했다. 오후 기자회견을 진행했다. 하지만 달라지는 것은 없었다. 다만, 비방한 것에 대한 공개적인 사과와 게시물 삭제를 상대 선거본부에 요청했다. 그렇지 않을 경우 법적 책임을 물어야 할 것이라고 경고했다. 늦은 판단이었다. 상대 선거본부에선 페이스북에 공개 사과 글을 게시했다. 사실이 아니었으며, 미안하다는 내용이었다. 이미 결과는 돌이킬 수 없는 상황이었다. 내가 할 수 있는 건 더 이상 없었다.

대학은 사회의 시작이자 인생을 배우는 곳이라고 했던가. 나는 선거의 아픈 패배로 인생에서 공황장애가 올 만큼 제대로 신고식을 치르고 인생에 뛰어들 수 있었다. 주변 사람들의 배신과 오해, 비난과 모략으로 낙선했다. 그것도 하나의 성장통이라 여기고 학교를 떠났다. 나의 16년간의 학교생활은 이렇게 막을 내렸다. 그만큼 성숙해졌다. 3번의 낙선이 지금의 단단한 나를 만드는 데 가장 큰 원동력이 되었다. 당선이 주는 배움과 낙선이 주는 배움에는 큰 차이가 있다. 당선을 하게 되면 무언가를 경험할 수 있는 기회의 배움이 있지만, 낙선을 하게 되면 자신을 되돌아보는 겸손함과 참회의 시간을 갖게 된다. 지금도 그 배움을 되새기며 더 단단하게 뿌리를 내리기 위해 도전을 이어가고 있다.

시작을 삼켰다.

김서영

김서영   2001년 2월, 따뜻한 패딩을 꼭 껴입어야 하는 계절에 태어났습니다. 추운 계절 때문인지 어릴 적부터 유독 따뜻하고 포근한 것을 좋아합니다. 그 래서 이제는 그 따뜻함을 전해보고자 합니다. 부디 제가 쓴 글이 누군가 에게 따뜻함 한 스푼, 포근함 두 스푼이 되기를 바랍니다.

email: tjdudcodud01@naver.com

"Every moment is a new beginning.
매 순간이 새로운 시작이다." – 엘리 비젤

우리는 세상을 살아가면서 수많은 시작을 마주하게 돼요. 시작이라는 건 어떤 일이나 행동을 행동의 첫 단계를 뜻하는 말이죠. 시작은 어느 순간 파도처럼 갑자기 밀려올 때도 있지만 또 내가 어떤 일을 하고자 마음먹었을 때 그것을 양분으로 삼아 피어나기도 해요. 그럴 때마다 우리는 한 발짝 뒤에서 시작을 위한 준비를 하게 되죠.

해외여행을 가기 전 짐 싸는 과정이 가장 설레는 것처럼 모든 준비 과정도 즐겁고 두근거리는 마음만 가득하다면 얼마나 좋을까요. "피할 수 없다면 즐기자.", "내 선택이었고 내가 원해서 하는 거니까."라는 말을 달고 사는 저는 왜 그런지 늘 두려움이 앞섰어요. 대학교에 들어가 새로운 친구를 사귈 때도, 취업을 위해 스펙을 쌓을 때도, 심지어 알바를 처음 시작했을 때도 걱정과 두려움이 먼저였어요. 때로는 그 두려움에 휩싸여서 준비만 하고 시작하지 않았던 적도 많았어요.

그럴 때마다 스스로에게 이런 질문을 던졌죠. '혹시 난 겁쟁이가 아닐까? 시작하겠다는 마음을 가졌고 그걸 위한 준비를 했는데도 나는 왜 여전히 제자리에 머물러 있는 거지?' 그런 질문과 고민을 하는 사이 누군가는 나보다 빨리 출발하고 훨씬 멀리까지 갔을 거라는 생각이 머릿속을 점점 채워갔어요. 그럴 때마다 끊임없이 '괜찮아. 나는 내가 가진 속도에 맞춰서 가면 돼.'라고, 스스로 다독였지만, 이상하게도 그 말이 마음속에 와닿지 않았어요. 속도라는 건 어딘가를 향해 나아가야 느낄 수 있죠. 하지만 애초에 나아가지를 않는데 속도라는 건 존재할 리가 없었어요. 모순덩어리였어요. 시작이 두려워 아무것도 해보지 않은 나한테는 나만의 속도라는 건 없었고, 결국 '내가 가진 속도에 맞춰서 가면 돼.'에 감응하기 위해서는 무엇이든 시작을 해야만 했던 것이죠. 그게 두려워서 아무것도 하지 못한 것인데.

그렇다면 두려움이란 건 과연 무엇일까요? 두려움은 어떤 대상을 무서워하여 마음이 불안하거나 마음에 꺼리거나 염려하는 것을 말해요. 사전에서 정의한 것처럼 두려움은 두 가지로 나눌 수 있어요. 간단히 예를 들자면, 저도 그렇고 이 세상을 살아가는 누구든 한 번은 바퀴벌레를 마주치고 소리를 지르거나 시험 성적표를 받고 집에 들어가기 싫었던 경험을 해 봤을 거라고 생각해요. 그때 그 기분은 정말 잊을 수 없는데, 전 특히 성적표를 들고 집 앞에서 심호흡을 하고 들어갔던 경험이 아직도 생생하네요. 심장이 마치 목구멍에서 뛰었다고 해야 할까요? 아무튼 갓 태어난 송아지처럼 덜덜 떨었던 것 같아요.

그렇다면 혹시 이런 경험을 해 보신 적이 있나요? 정해진 시간에 눈을 뜨고 평소와 다름없이 친구, 직장 동료와 밥도 먹고 커피도 마신 하루였어요. 그런데 그날 밤 침대에 누워 가만히 눈을 감았는데, 문득 '난 지금 잘하고 있는 걸까? 이 시간에 이러고 있어도 되는 걸까? 남들은 갓생 살고 있는데 나는 그런 생을 살고 있나? 라는 질문이 머릿속을 지배했던 적이 있나요? 저는 그런 생각에 파묻혀 제대로 잠을 자지 못했던 날들이 수도 없이 많았어요. 물론 지금도 가끔 그런 생각을 하다 잘 때도 많아요. 머릿속에서 울리는 이 수많은 질문들은 교수님이 던지는 질문처럼 날카로웠고, 하나하나 전부 제대로 된 답을 내릴 수가 없었죠. 하지만 그렇다고 이 고민을 가족이나 친구에게 쉽게 털어놓을 수도 없었어요. 뭔가 내 약점을 들키는 것만 같았고 고민하고 불안해하는 모습은 내가 평소 남들에게 보이는 이미지와는 너무 달랐기 때문이었어요. 항상 밝고 공부도 열심히 하고 친구들의 고민을 척척 해결해 주는 똑순이. 그게 항상 제 모습이어야만 했죠.

미래를 향한 뚜렷한 계획이 있지 않으면 안 되고, 남들보다 뒤쳐지면 안 될 것 같았던 저는 가끔 다 내려놓고 싶다는 생각도 했어요. 하지만 그러면 안 된다는 걸 너무 잘 알고 있었어요. 물론 걱정 없이 늘 행복하게 살고 싶은 게 사람 마음이라 처음에는 이런 두려움을 애써 무시했어요. 하지만 물이 가득 차면 흘러내리듯이 두려움이라는 것도 물처럼 쏟아지는 순간들이 언젠가는 오더라고요.

그러다 결국 태어나 처음으로 가졌던 소중한 꿈을 제대로 시작도 못

해보고 포기해 버렸던 적도 있었어요. 그때가 정확히 14살이었어요. 미술 선생님이 되어 아이들에게 그림을 가르쳐주겠다던 꿈은 너무 아득했고, 그 아득함에 겁을 먹어 아무것도 할 수 없었어요. 냉정하게 말하자면, 시작도 못 해보고 도망쳤다는 뜻이죠.

그때 저는 밤에 잠들지 못하고 어두운 이불 속에서 괜히 핸드폰만 만지작거리는 딜레마에 빠져버리게 됐죠. 남들에게는 전혀 보이지 않지만 정작 나 자신은 뼈저리게 알 수 있는 두려움을 느꼈어요.

"난 그런 생각이나 고민 같은 거 해 본 적 없는데? 그런 두려움을 느끼는 건 나 자신에 대한 자신감이 없으니까 그렇게 생각하는 거 아니야?"

이 세상에는 이런저런 생각을 가진 사람들이 살아가고 있어요. 그러니 이렇게 생각하는 사람들도 분명 있을 거예요. 그럼 우리는 자연스럽게 그런 사람은 멘탈이 무척 강하고 자신감 넘치는 용감한 사람이라고 평가하고 있을지도 몰라요. 그런데 정말 그럴까요? 그 사람이 정말 강한 사람이라서 그렇게 말하는 걸까요?

어렸을 때 이런 말을 자주 듣곤 했어요. 초등학교에서 중학교로 넘어갈 때, 중학교에서 고등학교로 넘어갈 때, 고등학교에서 대학교로 넘어갈 때, "이제부터 시작이야. 시작이 원래 가장 중요한 거 알지? 시작을 잘 해야 마무리가 좋은 거야." 지금이야 그게 무슨 뜻인지 알지만, 그때 당시에는 이해하지 못했어요. 시작이라는 포괄적인 단어에 교우관계와 공부, 입시, 미래에 가지게 될 직업 등 여러 가지를 모두 다 무작정 집어넣고 보니 어느새 잡탕이 되어 버린 거죠.

처음에 적어 놓은 것처럼 매 순간이 새로운 시작이라는 명언이 있어요. 글을 읽고 있는 지금도 내일 읽을 책을 고르는 일도 눈을 떴을 때 어제와 다른 내일이 펼쳐지는 것도 전부 시작이라고 할 수 있죠. 하지만 우리는 시작이라는 단순한 단어에 깊은 의미를 부여하고 그것이 내 삶의 좌표라는 듯이 따라가죠. 그러다 좌표를 잃게 되면 그때부터 미아가 되는 거예요. 아무리 길을 찾으려고 애를 써도 찾는 게 쉽지 않을 거예요. 이미 커질 대로 커져 버린 시작은 내 손에 쥐어진 지도가 아니라 앞으로 걸어가야만 보이는 표지판이 되어 버렸으니까요.

그렇다면 이 글을 읽는 여러분들이 생각하는 시작은 어떤 거라고 생각하시나요? 시작의 뜻은 내가 어떻게 생각하느냐에 따라 언제든지 바뀔 수 있어요. 때로는 무겁게 내 몸을 짓누르기도 하지만, 때로는 깃털처럼 가볍기도 해요.

미래에 대한 두려움은 곧 미래에 대한 시작이라고 생각해요. 제가 생각했던 미래는 당장 내일이 아니라 먼 훗날의 어느 날이었으니까요. 미래는 미지의 영역이고 사람은 알 수 없는 것에서 두려움을 느끼는 법. 먼 훗날 어느 날에 살고 있는 내가, 흔히 말하는 '잘 살고 있다.'에 속하고 싶어서 시작에 여러 의미를 마구마구 부여했으니까 그만큼 두려움도 커진 거라고 생각해요.

어떤 가방에 이것저것 아무거나 넣게 되면 그 가방은 반드시 무거워질 거예요. 그리고 무거워진 가방을 메고 걸었을 때, 아무것도 메지 않았을 때와 다르게 걸음이 느려진 것을 발견할 수 있어요. 무척 자연스러운 현상이죠. 시작도 그래요. 시작에 여러 가지를 넣게 되면 무거워지게 될 것이고, 그러면 자연스럽게 시작을 메는 것도 그걸 메고 걸어가는 것도 느려지게 돼죠. 그러면 남들보다 느리고 뒤처지는 것 같고, 시작을 내려놓고 싶은 마음이 들 수 있어요.

그러다 결국 참다못해 내려놓게 되면 그다음부터는 시작을 다시 메야 한다는 두려움이 생기겠죠. 알아버린 거예요. 그게 무척 무겁고 힘들다는 것을.

'나에 대한 자신감이 없는 것 아니야?' 생각해 보면 어렸을 적부터 전 늘 자신감이 없는 아이였어요. 남들 앞에서 주눅이 들거나 발표를 앞두고 숨이 잘 쉬어지지 않을 만큼 긴장을 한 것은 아니었어요. 초등학교, 중학교 시절 가장 중요하게 생각했던 생활 기록부에도 교우 관계가 원만하고 매사 최선을 다하는 아이라고 적혀 있었죠. 처음에는 그 문장 하나하나가 '나'라는 사람은 '이런 사람이다'라고 말해주는 것 같아 순수하게 좋아했던 기억이 있어요. 그러다 언제부터인지 생활기록부에 적힌 아이는 내가 아닌 것 같았고, 이질적으로 느껴지는 순간들이 찾아왔어요.

내 단짝 친구와 어떻게 친해졌는지, 어렸을 시절의 일을 모두 다는 기억하지 못하는 것처럼 내가 내 자신이 아닌 것 같았던 순간들이 언제 찾아왔는지 기억은 나지 않았어요. 하지만 하나 확실히 기억하는 건 습관적으로 '아니야. 나 그런 사람 아니야.'라고 말하는 제 모습이었어요. 상대방의 말이 틀렸다고 지적하는 것보다는 순전히 그 사실만을 부정했다고 말할 수 있을 것 같아요. 그렇게 약한 부정은 점점 강하게 변해갔고 결국 마지막에는 긍정이 되었어요. 강한 부정은 강한 긍정이라는 말이 있는 것처럼.

스스로를 부정하고 겁쟁이라고 말할 수 있게 된 건 굉장히 평범했던 어느 날이었어요. 그때 당시 14살이었던 저는 차를 타고 어딘가로 가는 중이었어요. 늦은 저녁, 건물이 예쁜 야경을 만들어 내고 주변에는 눈으로 쫓을 수 없을 만큼 차들이 쌩쌩 달리고 있었어요.

어디를 가고 있었는지, 어쩌다 그런 주제가 나왔는지 기억은 나지 않지만, 그때 가족과 나누었던 이야기는 앞으로의 미래 계획이었어요. 초등학생 때부터 고등학교 졸업까지, 아니 지금까지도 계속 이야기하는 단골 주제 중 하나였어요. 앞으로도 계속 이야기하게 될 줄 전혀 몰랐던 14살의 저는 그 주제가 정말 싫었어요. 갓 초등학교를 졸업한 데다 학교와 학원에서 공부하느라 바빠 죽겠는데 어떻게 될 지 아무도 모르는 미래에 대해 대화를 나누고 싶지 않았어요. 조금 더 나중에, 한 중학교 3학년이 됐을 때 이야기하면 좋지 않을까 하고 생각했어요.

아무튼 한창 이야기를 나누다 한 질문이 들이닥쳤어요. "서영아, 넌 나중에 뭐 해 먹고 살아갈 거야?" 아직 초등학생의 태를 벗지 못했던 저는 단순하게 꿈을 물어보는 줄 알았어요. 한때 무엇이든지 될 수 있었던, 순수했던 장래 희망. 그래서 저는 당당하게 대답했죠. "나는 예술고등학교에 진학해서 나중에 미술 쪽으로 전공하고 싶어요." 라고요. 미래에 대해 이야기를 나누는 것을 좋아하지는 않았지만 내가 가진 꿈과 하고 싶은 일에 대해서는 어느 정도 관심을 가지고 생각도 해 놨었죠. 그리고 나름 구체적이었다고 생각했어요. 어느 고등학교를 가고 싶은지, 대학교에서 어느 과를 전공하고 싶은지 계획이 있었던 거니까요. 그런데 너무 자만했던 건지, 예상치 못한 난관에 부딪히게 됐어요.

"그래? 그럼, 예술고등학교에 가려면 어떤 공부가 필요하고 어떤 준비가 필요한데? 만약 미술 전공으로 대학을 나왔다고 치자. 그러면 어디서 뭐 하면서 살아갈 건데? 참고로 미술만으로는 돈 못 번다?"

그 말을 듣자마자 어딘가에 머리를 세게 쫑은 것 같은 기분이 들었어요. 생각보다 자세한 질문 때문에 놀랐던 것보다는 쓰나미처럼 밀려오는 질문들 중 단 한 개도 대답을 할 수가 없었기 때문이었어요. 그때 당시에는 속상한 마음도 있었어요. 내가 하고 싶은 걸 말했는데 왜 응원의 말은 안 해 주냐고. 나중에 시간이 지나고 나서 깨달은 거죠. 나는 응원의 말을 듣지 못해서 속상했던 게 아니라 질문에 하나도 대답하지 못하는 나 자신이 부끄러워서 속상했다는 것을. 그래서 그 뒤로 열심히 정보를 얻기 위해 노력했어요. 하지만 또 다른 난관에 부딪히게 되었죠.

'이걸 정말 내가 할 수 있을까?'

내가 가고 싶은 길, 내가 하고 싶은 일에 대해 정보를 얻고 알아가면 알수록 점점 이런 마음이 떠오르더라고요. 처음에는 내가 바라는 모습으로 살아가는 사람들의 모습을 볼 때 동경하는 마음으로 머릿속이 가득 찼어요. 마치 내 미래의 모습을 먼저 보고 있는 것 같았고, 열심히 노력하면 언젠가 예술 고등학교에 진학하고 미술로 유명한 대학교에 가 많은 사람들에게 인정을 받을 수 있을 거라고 생각했어요. 그런데 안일했던 거죠. 한없이 행복해 보이는 미래의 모습에만 집중하다 보니 그 앞에 놓인 여러 난관과 장애물, 뼈를 깎는 노력들을 보지 못했어요. 노력하지 않으면 아무것도 얻지 못한다. 나이가 어리다고 해서, 언제든지 꿈이 바뀔 수 있는 시기라고 해도 그 말을 잊어서는 안 되었던 것이었어요. 쉽지는 않겠지만 너무 어렵지도 않을 거라고 생각했던 자신이 어리석었다는 것을 깨달았을 때, 저는 어느새 제가 하고 싶었던 일이자 처음으로 가졌던 간절한 꿈을 손에서 놓고 있었어요. 절대 놓지 않을 거라고 다짐했던 과거와는 전혀 다른 모습을 띠고 있었어요. 제 자신이 참 무섭고 초라해 보이더라고요. 원하는 꿈에 한 걸음 두 걸음 천천히 다가가도 모자랄 판에 한 걸음을 내디며 보지도 못하고 도망치는 제가 우스웠죠.

'한 번 겁쟁이는 영원한 겁쟁이다.' 그날 이후로 제 마음속에 자리 잡은 문장이에요. 만약 똑같은 상황에 다시 한번 놓인다면, 저는 아마 또 똑같은 결정을 내렸을 거예요. 사람은 쉽게 변하지 않으니까요. 저는 동화책에 등장하는 용감한 영웅도 아니고, 해피 엔딩이 정해져 있는 인생을 살고 있는 것도 아니니까요.

그래서 전 강하고 단단하다고 느껴지는 사람은 오히려 흉터가 많은 사람이라는 생각이 들어요. 상처가 생기고 흉터가 나기 시작하면 새살이 돋기 시작하죠. 어쩌면 흉터가 많은 사람은 알고 있을지도 몰라요.

흉터가 나면 새살은 반드시 올라온다는 것을. 그 모습이 마치 내 자신을 꾸준히 믿고 매 순간 도전하고 실패하는 것을 반복하는 것처럼 보이지 않나요? 자국은 영원하겠지만 오히려 그 자국을 보며 훈장처럼 여기고 있을지도 모르는 일이죠.

"그럼, 옛날 일을 후회하고 있는 건가요?" 제가 만약 제가 아닌 다른 사람의 이런 이야기를 들었다면 이런 질문을 하고 싶었을 거예요. 보통 많은 사람들이 후회했던 일이나 후회하고 싶은 일에 대해 이야기하곤 하니까요. 저도 정말 평범한 사람으로서 다른 사람들과 별반 다를 바 없을 거예요. 하지만 이 질문에 대한 저의 대답은 조금 특별하다고 할 수 있을 것 같아요. 저는 옛날, 시작도 제대로 하지 못했던 일에 대해 후회하지만 후회하지도 않는 것 같아요. 이게 대체 무슨 말이야 하고 생각하는 분들도 있겠죠? 후회하지만 후회하지 않는다니. 사람을 화나게 하는 첫 번째는 말을 하다 마는 것이고 두 번째는 말에 모순이 너무 많은 건데 말이죠.

지금의 저는 미술이 아닌 글을 쓰는 것에 집중하는 나날들을 보내고 있어요. 글을 쓰기 전 제가 썼던 글이라고 한다면 해봐야 독후감이 전부였어요. 그마저도 책 읽는 걸 싫어해서 기계적으로 글을 써왔죠. 그러다 고등학교 3학년, 공부 빼고 전부 재미있는 나이에 책을 제대로 접하게 되었어요. 그때 읽은 책이 추리 소설이었는데, 너무 재미있어서 앉은 자리에서 전부 다 읽어버렸던 기억이 있어요. 재밌는 것만 계속하고 싶은 게 사람의 본능이라 그런지 저도 책 읽는 것을 도저히 멈출 수가 없었어요. 한 권, 두 권 점점 늘어가는 책을 보면서 뿌듯하기도 했어요. 그러다 양심에 찔려서 계속 종이로 된 소설책을 읽었는데 수능이 끝난 이후 20살의 저는 또 하나의 신세계를 만났어요. 그게 바로 웹소설이었어요.

웹소설은 학교를 오며 가며 보던 웹툰과는 다른 느낌이었어요. 상상하기를 좋아했던 저는 웹소설을 보면서 묘사된 장면을 자주 상상하곤 했어요. 그렇게 웹소설을 보면 웃고, 울고, 화내는 날이 계속되었죠. 그러다 어떤 인기 작품을 읽는데, 뭔가 부족하다는 느낌을 받았어요. '이건 이렇게 적었으면 어땠을까? 여기서는 이렇게 묘사하는 게 좋을 것 같은데.' 그런 아쉬움이 차곡차곡 쌓여가고 있을 때, 눈을 떠 보니 어느새 글을 쓰고 있었어요. 내가 읽고 싶은 부분, 내가 좋아하는 묘사가 들어가는 작품을 직접 쓰고 싶은 마음이 저도 모르게 벌써 행동으로 이어졌던 거였어요.

물론 절대 쉽지 않았어요. 쓰면 쓸수록 문장은 지루해지고, 어떤 이야기를 쓰고 싶은 건지 자꾸 까먹게 되더라고요. 난생처음 도전해 보는 장르였고 어차피 누가 썼는지 모를 거면 남들에게도 보여주고 싶었어요. 그래서 홧김에 대형 플랫폼에 글을 올려 버렸죠. 올리고 나서는 조회수가 올라가는지 확인하려고 매일 사이트에 들어갔던 것 같아요. 처음에는 댓글도 없고 조회수만 올라가다 보니 그래도 사람들이 제 글을 재미있게 봐주는 줄 알았어요. 그러다 어느 날 개연성이 부족하다, 글을 너무 못 써서 더 이상 읽지 않겠다는 댓글이 달리게 되었어요. 충격적이었죠. 얼마나 별로였으면 참다못해 이런 댓글을 남긴 건지 상상조차 하기 싫었어요. 그렇게 언젠가 꿈을 포기했던 것처럼 또다시 불안함이 몰려오면서 잠시 글을 쓰는 일을 주춤하게 되었어요.

하지만 이번에는 왠지 포기가 되질 않더라고요. 이런저런 내 글을 평가하고 이유 없는 악의적 댓글이 올라온다고 해도 계속해서 글을 쓰고 싶었어요. 웹소설을 쓰는 게 내 꿈인지 아닌지는 아직 잘 모르겠지만 즐겁다고 느껴지는 것을 포기하고 싶지 않았어요. 그래서 새롭게 다짐했죠. 이제부터 내 글을 평가하는 사람들이 아닌 내 글을 궁금해하고 좋아해 주는 사람들을 위해 글을 쓰자고. 이 세상 모든 사람들이 날 좋아할 수는 없듯이 내 글을 모든 사람들이 좋아할 수는 없다고 인정하고 나니 오히려 마음이 가뿐해졌어요. 기분 탓인지 글도 더 잘 쓰게 된 것 같았고 전보다 글을 쓰는 속도나 능력이 점점 늘어가는 게 스스로도 느껴지더라고요. 거칠고 주어, 서술어도 잘 맞추지 못했던 제가 남들 앞에서 내 글을 보이는 게 어느새 부끄럽지 않게 되었어요.

그런 제 노력을 알아줬는지 원래 글을 올리던 단계에서 더 높은 단계로 넘어가 글을 쓸 수 있게 되었어요. 그 단계는 사람들에게 어느 정도의 인지도와 인기가 쌓여야만 올라갈 수 있는 곳이었거든요. 그런 단계로 올라갔다는 메일을 받았을 때, 처음으로 가족들에게 아무 걸림 없이 자랑만 했던 것 같아요. 비록 대형 플랫폼과 계약을 한 것은 아니었지만 점차 글을 쓰는 실력이 늘고 있다는 게 눈에 보여서 마냥 기뻤고, 나 자신에게도 '수고했다.'는 말을 할 수 있어서 행복했어요.

이런 제 모습은 14살의 제 모습과 상당히 달라 보일 거예요. 같은 사람이 맞나 싶을 정도로 완전 반대의 모습을 보이고 있죠. 사실 저도 많이 놀랐던 것 같아요. 자신감이 부족하고 늘 이게 맞는 걸까 틀린 걸까를 반복하며 망설이는 제 모습이 글을 쓸 때만큼은 전혀 보이지 않았으니까요.

'그야 네가 미술보다 글쓰기에 더 애정이 많아서 그러는 거 아니야? 그때는 어린 나이에 가볍게 꾸었던 꿈이니까 그랬던 것일 수도 있지.'

제 현재와 과거를 돌아보면서 스스로 계속했던 질문이었어요. 내가 정말 미술에 그만큼 관심과 애정이 부족했던 걸까? 그래서 글쓰기는 그것보다 더 좋아해서 이렇게 꾸준히 포기하지 않고 계속하고 있는 걸까? 그래. 어쩌면 정말 어렸을 때의 꿈이어서 그랬던 걸지도 몰라. 끊임없이 바뀌는 게 어렸을 적의 꿈이니까.

저도 사람이든 일이든 내가 얼마만큼의 애정을 품고 있느냐에 따라 말과 행동이 충분히 달라질 수 있다고 생각해요. 관심 있는 사람에게는 더 많은 사랑을 주고, 좋아하는 일에는 더 많은 시간을 투자하는 게 당연하니까요. 하지만 저는 그게 전부라고는 생각하지 않아요. 저는 14살 꿈을 놓아버린 일에 대해서 많이 후회했어요. 시작도 제대로 안 했는데 후회할 거리가 있나 싶기도 했지만, 어찌 되었든 그런 감정이 생기더라고요. 시작도 못 해본 일이든 꿈을 포기한 일이든. 지금도 가끔 생각해요. 그때 그냥 미술 할 걸 그랬나 하고.

저와 비슷한 생각을 하시는 분들이 어딘가에 있을 거라고 생각해요. 과거에 하지 못했던 일을 도전해 보거나 그 길을 새로 시작하는 사람들도 있더라고요. 그러다 적성을 찾는 사람들도 많이 봤던 것 같아요. 그 사람들도 그렇고 저도 그렇고, 시작하지 못했던 것들, 시작하는 것을 두려워했던 것들을 그냥 지나간 일로 남기고 싶지 않았어요. 그 때를 후회로만 간직하고 살아가다 보니 끊임없이 과거로 돌아가고 싶어 하는 제 모습을 발견했어요. 현재가 있기 위해서는 과거가 꼭 있어야 하는 것처럼 새로운 뭔가를 마주하고 시작하기 위해서는 그 경험을 잘 정리하는 것이 필요하다고 생각했어요. 물론 잘 정리한다고 해도 그 감정을 갑자기 바꾸는 건 무척 어려운 일일 거예요. 그래서 저는 후회라는 알맹이를 잘 감싸줄 수 있는 포장지를 만들었어요. 비록 다른 누군가가 그래도 본질은 다를 바 없다고 말할지 몰라도 저는 후회라고 느끼지 못할 만큼 근사한 포장지로 감싸 두고 싶었어요. 그런 말도 있잖아요? 안 좋은 기억은 좋은 기억으로 덮어버리라고. 좋은 기억으로 덮어둔다고 해서 안 좋은 기억이 사라지는 것도 아닌데 사람들은 그렇게 살아가잖아요. 그것과 마찬가지로 후회도 잘 간직할 수 있다고 생각해요.

전 절대 후회가 무조건 필요 없는 감정이라고 생각하지 않아요. 후회가 있어야 오늘보다 내일이 더 나은 내가 있는 거라고 생각하거든요. 그래서 저는 후회하지만 후회하지 않아요. 그때를 꾸준히 반성하고 되뇌는 제가 있었기 때문에 지금의 제가 있다고 생각해요. 그리고 후회 좀 하면 어떤가요? 그 한 번으로 인생 전체가 불행해지는 것도 아니고, 눈을 떠보니 또 열심히 살고 있는 내 모습이 분명 존재할 텐데요. 그래서 저는 '만족'하기로 했어요. 실패할까 두려워하고 망설이는 내 모습도 만족하고 나도 모르는 사이 새로운 시작을 하고 있는 내 모습도 만족하기로 했어요. 저만의 포장지, '만족'을 찾은 순간이었죠.

지금의 내 모습으로 만족한다는 게 어떤 의미인지 잘 모를 수도 있어요. 우리는 끊임없이 더 나은 내가 되기 위해 노력하며 살아가기 때문이죠. 그 과정 속에서 더 나은 내 모습만이 만족스럽고, 그렇게 되지 못한 내가 못나 보일 수도 있죠. 그런데 그 과정에서도 단계가 있다는 사실을 혹시 아시나요? 최초의 '나'라는 사람이 있었을 때, 자연스럽게 '나는 이렇게 되고 싶어.'라 말하며 그 모습이 되기 위해 노력하죠. 그리고 '이렇게 되고 싶어.'에서 '이렇게'가 되었을 때, 우리는 또다시 '다음은 이렇게 되고 싶어.'를 외치죠. 중요한 건 다음으로 넘어가기 전에 우리는 분명 만족을 느끼고 지나간다는 것이에요. 단지 아주 찰나의 순간이라 잘 느끼지 못하는 것일 뿐이에요. 후회라는 건 그 찰나의 순간을 느끼지 못해서 생기는 것이라 생각해요. 제가 14살의 제 모습에서 후회를 느꼈던 것도 그 속에서 나 자신이 만족할 만한 것을 찾지 못했기 때문이라고 생각해요.

그렇다고 "다 지난 일인데 이제 와서 후회해서 무슨 소용이야. 그냥 만족하고 살아야지."와 같이 체념하는 느낌은 아니에요. 제가 말하는 만족은 체념이 아니라 흡수라고 해야 할까. 내가 내 자신을 그대로 받아들이는 것과 비슷한 것 같아요. 이런 나도 나고, 저런 나도 나야. 후회하는 나도 나고, 그 감정과 기억을 안고 살아가는 나도 나야. 이런 느낌인 것 같아요. 더 이상 타인의 인정이 아닌 제가 저를 인정하는 게 중요하게 된 것 같아요. 혹시 이 글을 읽는 분들 중에 저와 비슷한 경험을 안고 살아가는 분들이 있다면 본인이 만족했던 순간들을 잘 떠올려 보면 좋을 것 같아요. 후회하고 만족하기를 반복했던 과거의 자신을 시작으로 지금의 내 모습을 떠올리다 보면 하나의 찬란하고도 영화 같은 이야기가 되어 있을 거예요.

　이렇게 적다 보니 벌써 이만큼 왔네요. 글을 쓰기 전 처음에는 어떻게 이야기를 시작해야 할까? 그리고 어떤 말을 전해줘야 할까 많이 고민했어요. 누군가에게 이렇게 긴 이야기를 하는 것도 처음이고 이야기를 읽고 난 후의 반응이 궁금해지는 것도 처음이었거든요. 평소 말을 할 때는 상대방이 재미있어 할 만한 주제만 꺼내기 때문에 제 과거 경험과 솔직한 마음을 털어놓을 기회가 없었어요. 아니, 애초에 만들지도 않았던 것 같아요. 제 글을 읽는 분들이 어떻게 생각하실지 모르겠지만 전 슬픔을 나누면 반으로 줄어드는 게 아니라 남에게 옮긴다고 생각하는 사람이거든요. 그래서 글을 쓰면서도 많은 고민을 했던 것 같아요. 나에게 있어 조금 슬프고 안타까웠던 일을 털어놓았을 때, 이 글을 읽을 분들께 어떤 영향을 끼치게 될지 예상할 수 없으니까요. 따뜻한 공감을 불러올지 그것도 아니면 지나가던 사람의 그저 그런 한탄으로 보일지, 저는 알 수가 없어요. 그래서 그런지 이번에 제가 고른 주제가 저와 꽤 잘 어울린다고 생각하게 되었어요. 처음 에세이를 쓰기로 결정했을 때, 에세이를 통해 누군가에게 위로와 공감이 되고 싶다고 바랐을 때, 그때부터가 저의 또 다른 '시작'이었던 사실을 깨달았거든요. 그리고 그 속에서 과거에 미래를 알 수 없었던 것과 이 글을 읽을 사람들의 반응을 알 수 없는 점에서 둘 사이의 공통점을 찾을 수 있었어요.

물론 처음부터 이런 전개를 예상했던 건 아니었어요. 시작이라는 주제가 저와 잘 어울린다고 생각한 건 지금에 와서야 깨달은 것이거든요. 어떻게 해서 시작이라는 주제를 만나게 되었는지 기억나지 않지만, 그만큼 자연스럽게 떠올랐기 때문일 거라고 생각해요. 우연히 떠올랐던 주제가 자연스럽게 제 안에 녹아들어 이제는 제 마음에 든다는 것 자체가 참 신기하지 않나요? 마치 '시작'과 썸을 타는 것처럼, 자연스럽지만 또 생생하게 다가왔던 것 같아요.

이외에도 깨달은 게 한 가지 더 있었어요. 저는 또 하나의 시작을 겪으면서 시작에도 '궤적'이 있다는 것을 알게 되었어요. 위에서 제가 저는 뭔가를 시작할 때 두려움을 느꼈다고 쓴 걸 기억하시나요? 생각해 보면 지금 이렇게 글을 쓰는 걸 시작했을 때 처음부터 두려움을 느꼈던 것 아닌 것 같아요. 오히려 설렜던 기억이 가득해요. 새로운 주제를 정하고 한 번도 해 보지 않았던 장르를 도전하면서 심장이 간질간질했던 것 같아요. '친구나 지인들은 내가 이런 글을 쓰는 건 상상도 못 하고 있겠지?' 하고 혼자 생각했을 때는 묘한 쾌감도 들더라고요. 웹소설을 처음 썼을 때처럼 하루빨리 글을 완성해 보여주고 싶은 마음이 가득했어요. 그러다 본격적으로 글을 쓰기 시작했을 때, 갑자기 손이 굳더라고요. 하루빨리 보여주고 싶고 쓰고 싶었던 패기는 어디로 사라졌는지 2주 동안 단 한 페이지도 채우지 못했어요. 또 한 번 고뇌에 빠졌죠.

'내가 너무 마음만 앞섰던 걸까? 나 같은 아마추어가 도전하기에는 좀 무리였던 걸지도 몰라. 하지만 내가 하고 싶어서 한 건데, 이런 생각을 가지는 건 좀… 겁쟁이 아닌가?'

제 안에서 다시 겁쟁이가 툭 하고 튀어나왔어요. 이래서야 원, 전과 다를 바가 없었죠. 또 혼자 불안해하고 고민하고 끙끙 앓는 제 모습이 그려졌어요. 그런데 그것도 잠시, 어느새 정신 차리고 보니 벌써 이만큼 글을 완성하고 있더라고요. 어느 정도 글을 완성하고 마음에 여유가 생기게 되면서 그동안 있었던 일을 다시 되돌아보게 되었어요. 처음 글을 시작했을 때 내 마음은 어땠는지, 글의 상태는 어땠는지, 또 중간중간 막혀서 몸부림치는 것까지. 하나씩 천천히 떠올리다 보니 어느새 소중한 추억과 기억이 되어 있었어요. 그러면서 '궤적'이라는 단어가 떠오른 것 같아요. 어떤 일을 이루어 온 과정이나 흔적을 뜻하는 궤적, 제가 무척 좋아하는 단어 중 하나거든요.

저는 이 세상을 살아가는 아주 작고, 평범한 사람이에요. 아침에 일찍 일어나기를 싫어하고 게임을 좋아하고 시금치와 가지를 밥반찬으로 먹는 걸 싫어하는 그런 지극히 평범한 사람. 그리고 슬픈 영화나 드라마를 보면 우는 감성적인 F이기도 하다가 T처럼 이성적으로 현실을 바라보기도 해요. 그렇지만 또 살짝 오지랖이 있어서 마지막에는 누군가를 위로해 줄 수 있는 말, 도움을 줄 수 있는 말을 꼭 남기고 싶었어요. 저는 이래라저래라 말할 수 있는 대단한 위인은 아니에요. 그저 앞으로 어떤 고민이나 깊은 생각에 빠졌을 때, 제가 한 말이 살짝 스쳐 지나갈 수 있기를 바랄 뿐이에요. 그리고 작은 것들이 모여 큰 것을 만들 때, 작은 것들 중 하나가 되기를 바랄 뿐이에요.

언젠가 저처럼 시작을 두려워하고 후회하는 자신을 발견하고 길을 잃었을 때, 제가 적었던 경험을 떠올려 주셨으면 좋겠어요. 어떤 길로 가야 할지 표지판이 되어주지는 못하지만, 그래도 한 걸음을 뗄 수 있을 정도의 용기를 불어넣어 줄 수는 있을 것 같아요. 저는 저와 비슷한 경험을 한 적이 있는 사람이 있다는 사실을 알았을 때, 힘을 얻기도 했거든요. 앞을 향해 열심히 나아가는 사람을 동경하고 열심히 달리는 것도 중요하지만, 중간중간 '나'를 돌아볼 수 있는 시간을 가지는 것도 중요하다고 생각해요. 그 시간 속에서 후회하고 만족하고 되돌아보면서 새로운 '시작'을 할 수 있는 발판을 만드는 것. 그게 나아갈 수 있는 동력이 되어 줄 거라고 믿어요. 이 말을 마지막으로 그만 제 글을 마치려고 합니다.

이 글을 읽어 주신 모든 분들이 부디 시작을 두려워하지 않길, 스스로 만족하는 삶을 살기를 응원합니다.

감정의 밥

김현정

김현정   자주 감정에 복받쳤던 사람. 자주 눈시울이 붉혀지는 사람. 자주 아닌 척 하는 사람. 나도 모르게 어금니를 꽉 깨무는 버릇 때문에 빨리 임플란트를 한 사람. 감정에 너무 서툴렀던 사람. 까짓것 감정이 뭐라고 의지의 힘으로 버티며 살았던 사람. 그렇게 47년을 살아오다가 꾸준히 내면의 감정을 다루는 법을 감정의 밥의 과정으로 승화하면서 좀더 성숙해진 사람. 이제는 좋은 사람들과 소통하며 저처럼 너무 오래 버티지 말고 자유롭기를 바라며 세포마인드셋의 가치를 개발하고 있습니다.

instagram: @v4v_tree
email: khjmsk1@gmail.com

과거의 감정과 이혼한 날

"여러분, 감정을 죽이십시오! 감정을 드러내지 마세요. 감정을 들키면 안 됩니다. 그럼 지는 겁니다. 절대 드러내지 마십시오! 꼭꼭 숨겨두셔야 합니다."

나의 머릿속에서 이 말들이 꼬리를 물고서 돌고 또 돌고 있다. 모든 말소리가 다 이 말로 번역되어 들리는 것 같았다. 저 세미나실에서는 성공해야 한다고 강의가 한창 진행되고 있었고, 모두 열정적인 함성과 박수 소리가 들리는 것을 보니 강의는 성공적이었다는 것을 알 수 있었다. 불과 3년 전 까지만 해도 나도 그렇게 박수와 함성을 지르고 있었다.

먼발치에서 그들을 바라보면서

'난 감정을 살리고 싶어……'

나는 아무도 들리지 않게 작은 목소리로 중얼거렸다. 지금 나는 생각이란 걸 멈추고 싶다. 그런데 머릿속은 바쁘다. 아니다. 머릿속이 바쁜 게 아니라 정확히 말하면 마음속이 바쁜 것이다. 머릿속으로 하는 생각은 잠깐이라도 붙잡을 수 있다. 하지만 지금은 붙잡히지 않는다. 그렇다면 분명히 내 마음속에서는 칼에 베인 것처럼 아리지만, 시원한 바람이 불고 있는 것 같다. 바람이 불고 있다면 이것은 느낌이다. 나는 붙잡고 싶은 수많은 느낌을 생각으로 착각하고 있었나 보다. 이 느낌들의 모양을 감정이라고 부른다면 나의 감정은 알 수 없는 모양으로 변해 있었다. 나조차도 뭔 지 모른다는 이 이상스러운 모양새가 두려웠나? 이 감정이 두려웠나 보다. 정확하게 묘사하지 못하는 혼란에서 오는 두려움인가?

아니다. 사실은 모른다는 것보다는 누가 내 감정을 훔쳐 갈까 봐 영영 잃어버릴까 봐 두려웠던 것 같다. 나 자신을 영영 잃을 것 같아서!

어젯밤이었다.

더위가 목을 조여오는 것처럼 숨 막히는 여름 밤이었다. 나는 줌 회의가 끝났는데도 그 방을 나가지 못하고 있었다. 저녁을 먹고 난 후, 리더 회의가 있어서 서둘러 줌을 켰다. 이미 자신들의 팀을 이끄는 일곱 명의 리더들이 들어와 있었다.

회의 주제는 코로나가 끝난 후 오프라인 강의를 하는 행사를 열어야 하는 것이었다. 지난 2주 동안 부지런히 뛰어다녔다. 장소 물색으로 열 군데를 더 돌아다녔다. 겨우 장소도 정했고, 강의자와 시간표 등 마무리가 거의 되었다. 그래서 별문제는 없었다. 시작만 하면 되는데 아뿔싸! 무산되었다. 감정의 충돌이 문제라고 했다. 그날 나는 함께 안건을 내놓는 평상시와는 다른 회의라는 걸 느꼈다. 이미 다 입을 맞추고 정해 놓은 결정을 통보받은 기분이었다. 나는 감독을 맡았다. 감독으로서 준비하고 추진했는데……준비하면서 참 동분서주했는데, 전에는 나는 서운한 감정이 일어나면 일단 억눌렀었다. '난 괜찮아, 난 그저 내 할 일만 하면 되지 뭐' 하지만 이날은 이렇게 억눌렀던 마음도 뭐고 다 튀어나와 버린 것 같고…… 나는 줌 회의 동안 앉아 있지 못하고 심호흡을 길게 하며 서서 회의를 마쳤다. 그리고 차분해지려고 무척이나 애를 썼다. 눈물이 쏟아지려는 것을 참고 또 참았다. 그래서 당황스럽기도 했고, 분노가 인 것 같았다. 아니 솔직히 무슨 감정인지 잘 모르겠다.

"리더라면 감정을 드러내지 말고 감정을 통제할 줄 알아야 합니다."

이 말은 다시 내 마음속에서 들려오고 있었다. 지금까지 들어왔던 말이기도 하고, 나도 다른 리더들에게 했던 말이다. 그런데 이 말이 그날 나를 주저앉게 했다.

이때부터 나를 되돌아보는 순간순간들이 괴로웠다. 내가 리더로서 자질이 있는 것인가? 지금까지 뭘 하고 있었나? 이러한 감정들이 서서히 쌓여가고 있었다. 어느 순간에는 출렁이는 액체로 넘쳐나고, 또 어느 순간에는 작은 점들로 흩어지고…… 지금 내가 느끼고 있는 이 감정은 도대체 어디에 살고 있었던 건지? 종잡을 수 없이 무질서하다. 어쩌면 그래서 모든 것이 가능한 공간 속에 내 감정들은 숨어 있었다. 바로 무의식의 공간 속에서 언제든지 튀쳐나올 수 있는 절대적인 권력자가 되어 있었다. 그런 나의 감정은 그곳에 숨어 살고 있었다. 이 감정은 분명 내가 만든 것임에도 불구하고 나를 군림하도록 내버려 두었다. 절대적인 권좌의 자리를 감정에게 모두 내주고 말았다는 것을 그때 절실히 알게 되었다.

그럼 나는 내가 두려운 것인가? 내가 만든 감정이 두려운 것인가?

이 헷갈리는 부분을 똑바로 마주하지 못하고 있었다. 심지어는 나를 감정 자체로 착각하고는 나 자신조차 저 무의식의 공간속으로 꼭꼭 숨기려고만 하고 있었다. 누가 훔쳐 갈까 봐서? 이러한 크나큰 오해를 하고 살다니……나는 도대체 왜 요 모양인가?

그래서 결단했다.

이제는 정나미가 떨어지는 지난날 나의 이상한 감정과 이혼하려 한다.

"나는 분명 두렵고 해괴망측한 존재가 아니라, 봄 햇살을 머금고 태어난 사랑스러운 존재이다."

나는 그렇게 나를 선택됐다! 이제 마주해 볼까? 나의 감정부터 인정해 볼까? 그럼, 무의식에 좀 더 다가가 볼까?

나의 감정과 마주하기 위해!

호적상 아버지

내가 8살로 기억된다. 아버지가 드디어 책을 사 오셨다. 그것도 전집이었다. 책을 유난히 좋아했던 나를 위해 사 오셨는지, 한 살 많은 오빠를 위해 사 오셨는지 물어보지 않았다. 어렸을 때 다른 기억은 별로 없다. 하지만 이 기억만큼은 생생하다. 그때가 생애 처음으로 아버지께서 우리 보라고 사 주신 책이라서 기억난다. 책을 펼쳤다. 아뿔싸! 글자가 다 세로로 되어 있었다. 위인전이었다. 단어로도 읽히지 않았고, 한 글자 한 글자 다 따로 떼어낸 것처럼 보여서 문장으로도 읽히지 않았다. 그래도 난 너무 좋았다. 이 글자들을 읽기 위해 뒤주가 있는 광에 들어가서 정말 고군분투했다. 이해할 수 없는 단어들투성이라서 내용이 쉬운 부분만 읽었다.

이 책이 생겼음에도 나는 여전히 작은아버지 댁에 놀러 가는 것을 아주 좋아했다. 거기에는 나보다 2살, 4살 어린 사촌 동생들이 살고 있었다. 또 거기에는 인어공주, 백설 공주, 피터 팬 등 그림 동화책이 셀 수 없이 많았다. 작은아버지께서는 사촌들이 아직 글자를 몰라서 그림만 본다고 말씀해 주셨다. 작은아버지 작은어머니께서는 나에게 바나나를 주시면서

"현정아, 사촌 동생들에게 책 좀 읽어 주렴. 넌 똑똑하니까……"

나는 그때 어린 두 사촌을 앉혀 두고 그림도 짚어가며 동화책을 읽어 주었다. 책을 읽는 내내, 마치 내가 동화책 공주들이 된 것 같아서 나는 너무 황홀했다.

그래서 아버지께서 사주신 위인전보다 그림 동화책을 읽으려고 자주 작은아버지 댁으로 갔고, 나는 아주 아주 친절한 사촌 언니가 되어 주었다. 작은아버지와 작은어머니께서는 학교 앞 문방구를 운영하고 계셨다. 그래서 두 분께서는 점방에 물건을 사러 오신 분들에게 나를

자랑하셨다. 나는 작은아버지 댁에 있는 그림 동화책을 몇 번이고 읽어서 다 외울 정도였다. 그제야 내 머리는 아버지께서 사주신 세로줄 위인전이 조금씩 읽히기 시작했다. 위인전의 위인들처럼 훌륭한 사람이 되라는 아버지의 암시는 통했는지 시골이지만 나는 초등 중등을 부반장, 부회장 등 감투도 썼었다. 일찍부터 리더십 흉내를 내고 싶었나 보다.

오랜만에 만난 남자 동창이 나에게 말한 적이 있었다. 내가 그 남자 동창을 학교 규칙을 지키지 않는다고 회초리로 때렸다고 한다. 나는 기억이 없었지만 바로 미안하다고 너스레를 떨었었다. 난 그때 참 명랑한 여학생이었다. 웅변도 잘하고, 최우수상은 받지 못했지만, 노래 대회도 나가서 입선도 했다. 지금으로 말하자면 MBTI에서 E였다. 중학교는 시골에서 초등 6년과 중등 3년을 대부분 함께 보낸 친구들과 함께 졸업했다. 중학 졸업 후 고등학교는 집을 떠나서 도시에 있는 큰 학교로 가게 되었다.

고등학교 진학하면서 학교에 호적등본 서류를 제출해야만 했다. 그 때 나는 호적등본을 처음 보게 되었다. 그런데 등본상에 있는 부모님 이름이 아버지와 어머니 성함이 아니었다. 처음에는 누구인지 잘 몰랐다. 아버지께서 알려 주셨다.

"여기 네가 올라가 있는 호적상 부모님의 성함은 바로 작은아버지와 작은어머니의 성함이란다. 작은아버지는 월남전에 파병되셨던 상이군인이시다. 지금의 작은어머니를 만나시기 전에는 결혼할 맘이 없으셨단다. 네가 태어날 때 너를 작은아버지 호적으로 입양한 이유는 보훈 훈장을 받으신 상이군인의 자녀는 대학원까지도 모든 교육을 받을 수 있어서 그랬단다. 너는 똘똘한데 우리 형편에 여자를 대학까지는 보낼 형편이 안 되어서 그랬다. 넌 공부만 열심히 하면 된다"

라고 짧게 말씀하셨다. 나는 덤덤히 알겠다고 했다. 그리고 열심히 공부하겠다고 대답했다.

하지만 내 머릿속에는

'왜 마음대로! 내 의견은 물어보지 않고? 왜? 나는 싫은데.'

'상이군인이신 작은아버지를 친구들에게는 어떻게 설명해 주지? 이 이야기를 해 주어야 하나? 친구들이 호적을 볼 기회는 없어. 굳이 얘기 안 해도 될 거 같아. 호적만 그렇지 난 아빠 엄마의 딸이니까. 나 공부하라고 그러신 거야. 나 잘되라고 그렇게 하신 거야.'

라는 생각이 유화물감처럼 덧칠해지고 있었다.

나는 그저 숨을 얕게 들이마시고 조용히 내뱉었다. 이 시절 나는 이를 앙다무는 버릇이 생겼고, 말을 할 때 상대의 눈보다는 입 쪽을 바라보고 얘기하는 게 편했다. 멍하니 딴생각에도 잘 빠졌다. 이때 쇼펜하우어의 책이 참 좋았다. 그저 조금 무기력하고 그저 혼란스러운 정도인 거 같았다.

그러던 어느 날았다. 당시 나는 고모님 댁에서 하숙을 하고 있었는데, 고모 집에서 하루 종일 울음을 터트리고 말았다. 고모님도 고모님의 딸들도 모두 난처해했다. 나에게 다정하게 위로도 해 주었고 간절히 기도도 해 주셨다. 그런데도 눈물이 그치지 않아서 나도 나에게 지친 날이었다. 의심스러움이 극에 달하고 혐오스럽다. 이런 감정들이 왜 내 안에서 살고 있는지 모르겠다. 나를 경멸하는 건지 누구를 경멸하는 건지 구별할 수조차 없다. 심지어는 이 사실을 남들이 알까 봐서 두려웠다. 그리고 진짜일까 라는 의심 속의 불안함이 치가 떨리기 시작한 날이었다.

이렇게 울음이 온종일 그치지 않는 바로 전날은 고등학교 생물 시간이었다. 혈액형에 대해서 배운 날이었다. 부모의 혈액형과 자식의 혈액형을 정리해 보라는 과제가 있었다.

나의 아버지의 혈액형은 A형, 어머니의 혈액형은 O형이다. 그리고 두 분에게서 나온 나의 혈액형은 AB형이다.

'A형과 O형 사이에서는 AB형이 나올 수 없는데……'

'그럼 나는 누구의 자식이란 말인가?'

이 의심의 꼬리는 나의 잠을 빼앗아 갔다. 그때부터 나의 얼굴에는 아무 표정이 없는 날이 많았다. 그런데 눈에는 눈물이 찬 것 같다는 말을 친구들에게서 많이 들었다. 그래서 나는 우수에 찬 쓸쓸한 여학생 흉내를 내었다. 그리고 나는 그때부터 무슨 일인지 코피가 자주 났다. 게다가 코피는 멈추지 않아서 학교 가는 길에 학교에 가다 말고 병원 응급실로 가는 경우가 많았다.

혈액형, CIS-AB형

"현정아, 착하지?

현정이는 엄마 아빠 말도 잘 듣고, 선생님 말씀도 잘 듣는 착한 아이 맞지?"

"우리 아이는 어쩜 이렇게 착할까요?"

착하다는 칭찬에 중독되어 버린 아이는 어른이 되어가면서 착하다는 말이 듣기 싫어졌다. 우리 집 가훈은 [남에게 인정받는 사람이 되자.]였다. 하지만, 어느 순간부터 나는 남에게 인정받기가 싫어졌다.

만사가 다 귀찮아지고 내 감정이 뒤죽박죽 팥죽 속에 오징어 죽이 섞인 맛처럼 혼란스러워졌다. 뭔 맛인지 모르겠다. 어쩌면 나의 호적 등본을 처음 보게 된 고등학교 그 시절 인 거 같다. 내 감정이 뭔 지 모르게 뒤섞여 버릴 때부터는 그야말로 나는 멘붕! 그 자체였다. 그래서 나는 감정을 꽁꽁 싸매서 깊숙이 숨겨버렸다. 명확하지 않고 이도 저도 아닌 나 자신을 들키기 싫어서 숨겨버렸는지도 모르겠다. 나의 명랑한 성격 속에 우울한 성격이 있다는 것 자체를 들키기 싫었다. 팥죽 속에 오징어 죽이 섞여 있는 것을 아무도 모르게 말이다.

호적상 나의 아버지가 지금의 나의 아버지가 아니라는 것을 아무도 모르게 하고 싶었다. 그래서 나는 친구들과 혈액형 놀이를 할 때 "나의 혈액형은 비밀이야!"라고 친구들에게도 장난스럽게 더 너스레를 떨었다. 참 명랑한 것처럼 지냈다. 그러면서도 혈액형 시험문제가 나오면 알면서도 일부러 틀리게 답하기도 했다. 사실 나의 마음속은 의심과 혼란스러움, 혐오스러움, 누군가 알까 봐 불안한 날을 보내고 있었다. 더 나아가 '나의 의심이 진짜 사실이라면 어쩌지?' 라는 두려움은 검은 파도를 치면서 계속해서 밀려들고 있었다.

내 마음속 검은 파도는 봄에도 치고 여름에도 가을에도 겨울에도 그치지 않았다.

2000년 밀레니엄 시대를 선포했다. 방송에서도 길거리에서도 종말론이 기승을 부리고 있었던 때를 지나고 있었다. 그때 아마 나는 내심 '그냥 무슨 일이 터져서 다 사라지면 검은 파도가 일렁이는 내 마음속도 좀 잠잠해지겠지.'라고 기대했는지도 모른다. 하지만 아무 일이 일어나지 않았다. 하지만 세상은 분명 변해가고 있었다. 인터넷이 되고 있었다.

이때 나는 인터넷 정보검색 자격증을 땄다. 인터넷이 세상을 바꿀 거라는 예상대로 지금 우리는 상상도 못 했던 세상 속에서 산다. 그때 당시 내가 가장 먼저 검색한 검색어는 혈액형의 신빙성이었다. 좀 다른 관점이지만 혈액형으로 성격을 맞추는 게 정말 대 유행이었는데 그 신빙성에 제동을 걸고 싶었다. 그런데 웬걸! 유레카!! 혈액형 돌연변이가 있었다. 그때부터 본격적으로 조사해서 CIS-AB형이 있다는 사실을 알게 되었다. 나는 그제야 긴 숨을 아주 길게 들이마시고 내쉴 수 있게 되었다. 잠을 자게 되었고 의심하는 버릇도 차츰 줄어들고 있었다. 나도 자유로울 수 있구나. 확실하지는 않지만, 그때 난 자유롭다고 느낀 것 같다.

이론적으로는 나의 아버지가 A형이고 어머니가 O형인 이 사이에서는 AB형의 내가 나올 수가 없다. 하지만 과학이 발달하면서 유전자 검사 등을 확인해 보니 아버지 A형의 혈액형이 AB형의 일종인 CIS-AB형이었다. CIS-AB형은 간혹 A형이나 다른 혈액형으로 판독되는 경우가 많기 때문이다. CIS-AB형과 O형 사이에서 내가 태어난 것이다. 혈액형 돌연변이이다.

CIS-AB형의 유전 방식은 기존의 혈액형 유전 방식을 따르지 않고 특이하다.

1960년대 일본에서 최초 발견되고, 1985년에 대한민국의 보유자가 확인되면서 학계의 관심을 끌게 되었다. CIS-AB형이 주로 발견된 지역을 살펴보면 주로 우리나라의 전라도 해안지역과 일본 규수 지방에서 많이 나왔다. 나의 고향은 전라도 여수 지역이었다. 중국에서 나온 보유자도 대부분이 조선족이다. 삼국시대 한반도 서남부 백제에서 최초로 생긴 것으로 보고 있다.

내가 바로 이 혈액 키메라에 해당하는 CIS-AB형이었다.

난 이때부터는 내 안에 이는 검은 파도를 잠재울 수 있었다.

그제서야 난 성장을 하고 싶었다. 감정의 성장통을 기꺼이 받아들이며, 이제는 꽁꽁 싸매버린 감정을 조심스레 풀고 싶어졌다. 통증을 느껴야만 했다. 그래도 여전히 걱정되고 두렵기는 마찬가지였다. 감정이 미라가 되어 버렸는지도, 숨이 너무 막혀서 죽어버리지나 않았는지…… 어떤 모습일런지? 궁금도 하고 걱정도 되기도 하다.

'그냥 그대로 놔둬 버릴까?'

망설이면서 지난날 감정의 붕대를 싸매어 놓았을 때가 떠올랐다.

어른이 되어가면서 주위에서는 나를 걱정해 주는 사람들이 많았다. 나에게로 와서 점잖은 말을 해 주었다.

"감정 조절을 잘해야 해! 감정을 들키면 지는 거야! 현정씨, 감정이 통제가 잘 안 되나요? 표정 관리 잘하세요! 요즘 사람들이란 쯧쯧쯧……"

이 점잖은 말들을 사실 이해할 수 없었다. 하지만 나는 알아듣는 척하고 상냥하게 웃었다. 그리고 속으로는 그냥 또 하나의 긴 붕대를 무심히 꺼내서 감정을 싸매고 있었다. 둘둘, 칭칭 싸매는 시간이 오래 걸린 적도 있었고 1초도 안 되어서 후딱 말아버린 적도 있었다. 이유도 모른 채 꽁꽁 싸맨 감정들을 어두운 골방에 있는 장롱 깊숙이 넣고 열쇠로 잠가 버렸다. 이렇게 싸맨 감정 붕대를 들었다 놓았다 하면서 몇 번이나 했는지…… 그래도 이제는 꽁꽁 싸매 놓은 붕대를 풀고 싶었다.

그런 마음이 든 때가 언제였더라? 맞아, 내가 아주 귀여운 나의 존재들을 만났을 때였다. 그 공간에 들어서면서 그 존재들과 소곤소곤 이야기를 주고받기 시작했을 때부터였다.

본격적으로 생각해보기 시작했다. 감정은 조절해야 하는 걸까? 통제해야 하는 걸까? 조절이나 통제라는 단어를 쓰려면 분명 잘못된 무엇이 있어야 한다는 전제가 형성된다. 하지만 사실 감정 그 자체로는 아무 잘못이 없는데…… 아직은……행동으로 나타나기 전까지는 감정은 충실히 자기 일을 한다. 문제가 있다면 그 후에 일어난 일들 때문일 것이다. 무엇을 선택할지가 중요하다. 그래서 감정은 다루어야 한다는 것이 더 적합하다. 감정은 잘 다루어서 표현하는 또 다른 소통으로 여겨야 할 것이다.

감정은 소통이다.

그런 생각을 하게 만든 그 날, 바로 나의 그 귀여운 존재들과 소통하고 대화하기 시작했다. 그들은 바로 나의 내면의 아이들 작은 세포들이었다. 그 세월이 벌써 10여 년이 넘게 흘러갔다. 그렇게 나는 그날 10년전에 자유로워 진 줄 알았는데 어젯밤의 줌 회의를 끝내고서 내 감정은 자유롭지 못하다는 걸 알았다. 오히려 나는 다른 리더들에게 나는 통제와 억압을 하지 않겠다고 하면서도 나도 또한 같은 행동을 하고 있다는 걸 느꼈다. 그러고는

'너도 별수 없어. 너의 힘으로는 소용없어, 세상을 바꾸기엔 역부족이라니까.'

라고 세상을 탓했다.

고등학교 들어갈 때 나의 호적 상태를 설명하는 아버지를 향한 속마음처럼 나의 마음속은 어젯밤까지도 그대로였다. 2002년도에 이미 나의 정체성은 그 누구의 잘못이 아니라 운명의 장난이라는 것을 확실히 알게 되었다. 그래서 나의 자존감을 되찾으면서 나는 자유로운 존재가 된 줄 알았다.

나의 진짜 아버지도 호적상의 아버지도 어머니도 아무 잘못이 없었다. 그런데 나는 그 의심의 어둠 속에서 헤어나오지 못하고 있었다. 게다가 오해하고 그 오해를 곱씹기까지 하고 있었다. 그래서 나의 뇌와 세포의 습관은 그대로였던 것이다. 그 중에서 감정의 영역은 예전 그

대로였다. 감추기 위해서 붕대로 칭칭 감아 놓은 이 감정은 여전히 나의 잠재의식 속에 그대로 있었던 것이었다. 10년 전에 세포와의 만남은 그저 낯선 만남일 뿐이고, 제대로 된 감정의 밥을 짓지 못했던 것이었다.

이제는 제대로 감정의 밥을 지어야겠다.

"이대로는 안 되겠어! 이젠 진짜 내 감정을 되찾아오겠어!"

줌 미팅이 있던 그 날, 나는 또다시 잠을 잘 수 없었지만 그 마음은 예전과 달랐다.

"이젠 방관하지 않겠어!"

내 감정을 그냥 내버려 두지 않겠다고 다짐했다. 어두운 파도 속에서 분명 불빛이 보이고 있었다. 그 불빛을 보고 나서는 이제 나의 글이 써지고 있다. 나는 이제 예전의 내가 아님을 분명하게 선언하고 있다. 그리고 그 신호를 나의 세포에 보내 주었다. 그리고 그 감정을 나의 세포도 받아들였다.

공간

넓은 원을 그리며 나는 살아가네.

그 원은 세상 속에서 점점 넓어져 가네.

나는 아마도 마지막 원을 완성하지 못할 것이지만

그 일에 내 온 존재를 바친다네.

이 시는 릴케의 젊은 시절 고민이 담긴 초기작 〈기도 시집〉에 수록
된 "넓어지는 원"이다.

이 시 속의 원처럼 내가 넓어지고 있을까? 나는 좁아지고 있을까?
그리고 세상은 넓어지고 있을까? 내가 넓어지기를 원하는 것일까? 라
이너 마리아 릴케의 이 시를 만난 순간 나는 세포가 떠올랐다.

뇌의 가소성처럼-나는 여기서 "뇌에 국한하지 말라! 한계를 뇌에 두
지 말라, 세포로 확장하라!"라고 말하고 싶다. 세포도 가소성을 갖고
있다. 세포는 원하는 대로 가능하다. 진정으로 넓어지기를 원한다면
일단은 세포에게 좁혀라. 살아 숨 쉬는 생명체로서 기본단위인 마이크
로 공간 안으로 좁혀봐야 한다. 그 세포의 원을 이해한다면 진정으로
원하는 대로 자기 자신은 넓혀질 것이다.

세포는 생명의 기본단위로서 공간을 확보한다. 먼저 공간이라는 것
이 만들어지려면 안과 밖의 경계가 필요하다. 또 사실은 더 작은 미립
자의 원소도 모두 공간으로서 각 경계를 확실히 하고 있다. 더 작아지
면서는 이 경계들이 허물어질 것이고, 질서는 무질서로 간다. 이와 반
대로 보이는 공간이 점점 더 커진다는 것은 에너지의 응집을 이용해서
경계를 넓혀가는 것이다. 그중 아주 작은 미립자도 경계가 허물어지듯
이 무한대로 가는 것 또한 경계는 허물어진다. 그래서 무언가 느끼는
생명의 단계 정도에서는 가장 효율적인 공간을 추구할 것이다. 바로
유동성이 가능한 공간으로 원의 형태가 적절할 것이다.

에너지의 응집이 생명으로 보이는 때부터 가늠해 보면 세포도 원형부터 시작한다. 그리고 더 큰 원형을 떠올리면 지구의 형태도 원형의 형태이고 우주의 별 또한 응집되는 기본 형태는 원형이다. 하지만 실제로 우리가 마주하고 있는 형태는 가능성으로 이루어진 아주 다양한 형태를 띠고 있다. 무슨 모양이든 가능하다. 다양한 모양이 가능하다는 것이다.

그 다양성에 관여하는 것은 과연 무엇일까?

바로 생명을 지닌 세포 단위의 측면에서는 감정 에너지의 차이일 것으로 생각한다.

생각은 감정을 구현해 내는 하나의 도구이고, 색깔도 감정을 표현할 수 있는 도구이고, 온도도 또한 감정의 차이를 나타내는 도구로 쓰인다. 다양성을 표현하는 모든 것 안에는 바로 감정의 차이로 인해서 벌어지는 결과물들이 현실로 보이는 것이다.

삼라만상의 모든 다양성 안에는 감정의 비밀을 품고 있을 것이다. 어쩌면 지금 우리가 과학을 포함한 모든 학문을 연구하고 증명하는 과정 안에는 감정이라는 중요한 열쇠가 있을 것 같다.

그 감정의 차이가 공간의 차이를 만들어 내고 각 공간은 서로 영향을 주고받으면서 모양이 서로 다른 다양한 형태가 이루어지는 것 같다.

경계를 허물고 확장하는 것도 중요하지만 먼저는 가장 작은 공간과 소통하면서 어떤 경계를 가져야 하겠다는 자신의 선택도 중요하다. 어찌 되었든 우리가 살아있으려면 안과 밖을 결정짓는 경계가 있어야 공간이 형성되니까 그래서 기본은 먼저 세포 공간이다.

세포의 시선

세포의 공간을 느꼈다면 그럼 이제는 세포의 눈으로 그 아이들의 관점으로 바라보려고 한다. 세포는 우리 모습을 인식할 때 거울과 같은 역할을 하는 무언가를 통해서 인식한다고 가정해 보자. 나의 내부가 나의 외부를 볼 때 거울처럼 시각, 미각, 촉각, 후각 등 감각기관에서 전달되는 그 감각으로 나의 외부를 볼 수 있다. 그 경계면은 항상 타인의 눈과 세포의 눈을 의식할 것이다.

그때 나는 타인의 시선으로 내가 원하는 것을 선택할 것인가?

나의 내부에 있는 세포의 시선으로 내가 원하는 것을 선택할 것인가?

이 부분은 중요한 선택의 관점이다.

만나는 모든 사람에게는 배우는 것이 분명히 있다.

'현명함이란, 만나는 모든 사람에게 무언가를 배우는 것' 이라는 탈무드의 구절을 생각해 보았다. 내부의 건강한 목소리도 들으면서 수많은 다양한 공간들과 소통하며 배워야 할 것이다.

우리는 끊임없이 성장하고 발전하려는 존재이다.

나도 또한 그런 존재이므로 지난 운명의 장난 같은 오해가 나의 청춘 시간을 암울한 검은 빛으로 끌고 갔지만 그 블랙의 빛은 창조의 에너지를 선물로 주었다는 것을 쉰 살이 되어서야 깨닫는다.

무언가 이제 알 것 같아! 단순한 그런 마음으로는 변화할 수 없음을 안다. 진정한 변화를 위한다면 지난날의 습관으로 굳어져 버린 감정의 붕대를 풀어야 한다. 그리고 감정의 밥을 제대로 지어야 한다. 내가 진정으로 원하는 감정 상태의 주파수를 맞추면서 지어야 한다.

"이제부터 시작이야!"

라는 목소리를 내 세포 아이들이 보내 주고 있다. 나는 지금 호기심이 많은 그들과 대화하며 그들과 연결된 몸을 존중하고 그들의 지혜를 응용하며 희망찬 삶을 살아가려고 한다.

감정의 밥

우리는 일단 감정의 밥부터 먹어야 한다.

우리가 살아가는 힘을 얻으려면 밥부터 먹어야 한다.

햇반은 쉽다. 전자레인지로 띵하고 돌리면 바로 밥이 된다. 편의점이나 마트에 가면 가장 목이 좋은 자리에 항상 햇반이 있다. 오늘날은 이처럼 밥 해 먹기가 쉬워졌다. 하지만 원래 밥이 되는 과정은 햇반처럼 바로 나오는 것이 아니라 그전에 여러 단계를 거쳐야 한다. 햇반도 또한 우리에게 오기까지는 먼저 공장에서 밥이 되는 여러 단계를 거치고 나서야 가능하다. 결국 밥이 되는 과정은 같다는 얘기이다.

밥이 되는 과정을 살펴보면 먼저 쌀을 씻고, 물을 붓고, 뚜껑을 닫은 채 열을 가해 끓이고, 그리고 끝으로 뜸을 들이는 과정을 꼭 거쳐야 한다.

감정의 밥도 마찬가지이다. 우리가 감정의 힘을 얻으려면 감정의 밥부터 해 먹어야 한다.

일반적인 밥이라면 남이 다 차려주는 밥상이나 햇반처럼 간편하게 생략한 밥이라도 가능하지만, 감정의 밥은 스스로 해 먹어야 한다. 하는 것도 스스로! 먹는 것도 스스로!

모든 과정을 스스로 해야 한다. 남이 해 준 감정의 밥은 반드시 문제가 생긴다.

그럼, 감정의 밥을 잘 지어서 먹어보자.

감정의 밥이 잘 되려면 일반적인 밥을 할 때처럼 비슷하다. 먼저 자극이라는 쌀을 씻어야 한다. 외부의 자극 속에는 나와 결이 맞지 않는 수많은 요소가 있다. 그래서 일단 잠시 멈추고 바라보는 과정-씻어내는 과정이 필요하다. 그리고 다행히도 우리 안에는 이 잠시 멈춤의 과정-즉 멈추고 바라보게 하는 공간이 존재한다. 모두에게는 세포라는 공간으로 이루어져 있다. 이 세포라는 공간이 있기에 바라보기가 가능할 수 있다.

이렇게 공간을 유지하며 바라보면서 씻어내는 과정을 끝마친 후 물을 부어야 한다.

씻어낸 쌀이라고 해도 이 쌀은 아직 밥으로 먹기에는 불편하다. 왜

냐하면 아직 딱딱하고 익지 않았기 때문이다. 쌀이 밥이 되는 과정에서 수분을 흡수해야만 말랑말랑해지는 성질을 갖고 있다. 밥은 어느 정도 익었을 때 최적의 밥맛을 좋게 하기 위해서는 그 상태에 필요한 적절한 양의 물을 넣어주어야 한다.

우리의 감정의 밥 또한 '우선 멈춤' 이라는 바라보는 공간을 세포 공간으로부터 먼저 느끼고 나서 다음 순서는 본연의 원하는 최상의 자아 모습을 위해 유연함을 준비해야 한다. 밥을 만들기 위한 최적의 밥물이 바로 이 유연한 태도이다.

그럼, 이제 일반 밥의 과정 중 물을 넣었으면 뚜껑을 닫고 열을 가해 끓인다. 감정의 밥도 이제는 집중의 시간이 다가왔다. 에너지를 모아서 이 순간만큼은 돋보기로 햇빛을 모아서 쏘는 것처럼 집중해야 한다. 가장 적절하고 균형에 맞는 감정의 불꽃아! 맘껏 타오르렴.

서서히 물이 먼저 끓으면서 쌀알이 부풀어 오를 것이고 밥알은 탱글탱글해져 갈 것이다.

유연함의 물이 끓으면서 자유롭게 감정의 밥알은 내 몸 안에서 열정적으로 흐를 것이고, 마침내 유연한 물을 함유한 감정의 밥알은 나의 선택으로 더욱더 말랑말랑해질 것이다.

앗! 아직 끝난 것이 아니다. 밥알이 되었다고 밥이 다 된 것은 아니다.

화룡점정!

계속해서 센 불로 열을 가하면 밥은 십상 금방 타버린다. 이제는 약한 불로 줄이고 뜸 들이는 과정이 꼭 필요하다. 내 진정한 감정의 밥도 뜸을 들여야만 완성된다. 뜸을 들인 밥과 뜸을 들이지 않은 밥의 차이는 먹어보면 안다. 속까지 익었는지 겉만 익었는지……

뜸을 잘 들인 밥은 속까지 말랑말랑하게 다 익게 된다. 그렇게 뜸을 들인 밥알들은 다른 밥알들과 찰기를 주고받는다. 이와 마찬가지로 감정의 밥도 뜸을 들여야만 한다. 내면까지 숙성되어서 다른 사람들과 서로 연결된다. 그리고 서로의 인정을 주고받으며 소통한다. 그래서 감정도 뜸 들이는 과정이 생략된다면 극단으로 치달아서 자기 자신을 태워버릴 것이다. 그러다 죽고 말 것이다. 반드시 열은 약하게 내리고 작은 온기로 기다리기를 하면 된다.

이 작은 온기가 바로 포용심이다.

세상을 포용하는 마음으로!

요즘은 취향으로 서로가 끌리는 시대이다. 대표적인 SNS를 살펴보면 유튜브로는 각자의 목소리로 이야기한다. 또 인스타로는 각자의 개성대로 자신들의 모습으로 보여준다. 자신들이 좋아하고 추구하는 취향을 고스란히 다 내보이고 있는 시대이다. 바로 SNS로 좋아하는 사람들과 소통하고 교류한다. 취향으로 소통하고 교류하는 것이다.

각자 자신들이 좋아하는 포인트들을 서로 연결하고 있다. 이때 사용되는 도구가 바로 서로의 감정이다. 생각으로 하는 의지보다는 서로

가 끌리는 감정에 의해 연결돼 가는 것이다. 그만큼 인간의 감정은 시공간을 초월한다. 즉 보편적이라고 말할 수 있다.

지금까지는 '감정은 순간이다' 라는 개념이 더 강했을 것이다. 이번엔 이것보다는 감정의 또 다른 관점으로 봐야 한다. 감정은 누구나 공통으로 공감할 수 있는 보편성을 띠고 있다. 그래서 앞서가는 기업에서는 이성적으로 생각이 같은 내용을 가지고 사람들을 설득하기보다는 감정을 활용해서 사람들이 직접 선택하게 하는 방법을 쓰고 있다. 이 스킬을 엿보고 싶다면 잘 나가는 광고 몇 편만 살펴보아도 금방 알게 될 것이다.

우리는 스스로 자신의 의지대로 결정한다고 생각한다. 사실은 내 안의 감정의 상태가 대부분의 선택에 관여한다. 내 안의 감정 상태가 어떤지 분명히 점검해 볼 필요가 있다.

진정으로 자신이 원하는 삶을 살고자 한다면 내 안의 감정 상태를 들여다봐야 한다.

이미 호르몬이 감정에 영향을 준다는 사실을 알고 있다. 맞는 말이다. 하지만 호르몬은 결과이지 이유가 될 수 없다. 그런데도 그냥 겉으로 봐서는 호르몬이 이유인 것처럼 보인다. 그래서 내부를 더 들여다봐야 한다. 그 호르몬을 방출하는 이유를 살펴보면 알 수 있다. 우리 몸 세포들의 긴밀한 대화와 소통한 후 그 어떤 필요성이 생기면 호르몬이 만들어지는 것이다.

세포는 우리 스스로가 어떤 필요성을 느낄 때 호르몬을 만드는 것이다. 원래의 순서는 이것이 먼저이다. 세포의 필요성이 먼저이고 호르몬이 나중이다. 이 순서와 균형이 깨지면 호르몬이 원인이 되어서 내가 원하지 않는 감정이 고착되어 버릴 수도 있다. 이렇게 되면 위험해지는 것이다. 그래서 어떻게 해야 할까?

그럼 이렇게 생각해 보면 쉬울 것이다. 먼저 내가 원하는 감정을 선택한다. 그리고 그것을 필요로 한다는 신호를 세포에 보낸다. 그러면 세포는 서로 협력해서 호르몬을 만들 것이다.

이것을 뇌과학적으로 설명해 보면 뇌를 속인다는 말을 들어 보았을 것이다. 내가 지금 현실의 상황이나 감정 상태가 행복한 편이 아닐지라도 억지웃음으로도 스트레스 호르몬을 줄이고, 엔도르핀, 엔케팔린 등을 분비한다. 가짜웃음, 억지웃음이 호르몬을 어떻게 변화시키는지 의학적으로도 증명된 사실이다. 나 또한 이 이론을 웃음치료학을 배우면서 알게 되었다. 이때부터 나는 서서히 세포마인드셋의 실마리를 잡게 되었다. 즉 내가 원하는 감정이 먼저라는 것을 확실히 알게 되었다. 어쩌면 나는 CIS-AB형이라는 유전적 혈액형의 독특함 때문에 유전학에 더 빠져들게 되었다. 내가 그토록 유전자에 집착해서 책을 탐독하고 많은 생각을 하게 된 이유는 이것 때문이리라.

이제 나는 단순히 나를 아는 단계를 넘어서 내 삶을 변화시키고자 원한다. 그러기 위해서 이 감정을 재세팅해야 한다는 사실에 집중한다. 감정설계부터 다시 해야 한다는 것이다. 감정설계를 기초부터 해나가면서 2가지를 알게 될 것이다.

첫 번째는 진짜 원하는 자신의 최고의 모습을 알게 될 것이다.

그리고 두 번째는 과거와 현재로 이루어진 자신과 직면하게 될 것이다. 그 과정이 비록 녹록하지는 않을 것이지만 이것은 인생을 통틀어 봤을 때 정말 중요한 문제이다. 더구나 꿈이 있고 목표가 있는 사람이라면 이 터널의 과정은 꼭 만나야 한다. 의지가 하늘을 찌를지라도 감정 하나로 꼬꾸라지는 게 인간이기 때문이다. 그렇다고 감정이 무의식 쪽으로 무작정 흘러가게 하는 것만이 능사가 아니다. 잠시 내 눈앞에서 느낌이 좀 사라졌다고 해서 영원히 없어진 것은 아니라는 것을 알아야 한다. 이 세계를 지배하는 무의식의 힘이 바로 감정으로 표출되기 때문이다. 이제 이 어려울 것만 같은 무의식의 세계를 조금이나마 이해할 수 있는 통로가 열렸다.

우리에게 모두 생명의 기본단위로서 존재하는 세포의 힘이 무의식을 이해하는 가능성을 열어줄 것이다. 나는 생물학을 연구한 사람도 아니고, 의사도 아니고, 그저 평범한 사람 여자이다. 그저 나 자신이 혈액형과 아버지와 작은아버지가 살던 그 시대의 맥락에 의한 오해로 빚어진 감정을 억누르고 살아왔을 뿐이다. 하지만 그 30여 년의 시간 동안 나를 지배한 어두운 검은 빛 파도에서 벗어나고 싶은 간절함은 그 어떤 사람보다 컸다.

그러다가 10년 전부터 영양학적인 세포를 접하게 되었다. 그리고 후성유전학에 매료되었다. 어쩌면 후성유전학은 과학이지만 거의 모든 학문에 접목될 것이다. 인문이든 사회든 예술이든 심리학이든 인류학이든 인간에 관련된 학문과는 다 연결될 듯하다.

우리는 현재 정말 살기 좋은 세상에 살고 있다. 또 공부하기 좋은 시대에 살고 있음에 감사한다. 모든 학문을 쉽게 배울 수 있는 이 놀라운 세상의 덕을 참으로 많이 봤다. 인터넷과 수많은 책을 통해서 배웠다. 물론 즐겁다. 이 즐거움이 내가 이 길을 가는 이유이다.

성공하고 싶고 목표를 이루고 싶은데 자꾸 감정이 발목을 붙잡는 나 같은 사람들에게 도움이 되고 싶다. 그동안 수많은 고뇌 속에서 함께 자란 지식과 정보들을 단순한 나의 지적 욕망으로만 치부하고 싶지 않다. 조금이나마 감정을 내가 원하는 방향으로 변화시켜서 무드를 바꾸고 성격을 바꾸고 인생을 바꾼다면 이 일은 작은 일이 아니다. 분명 우리 모두에게 필요한 일일지도 모른다는 생각이 들었다.

나 자신을 세상에 드러내 보고 싶은 용기가 생긴 것이다.

다른 사람들과 다른 것이 드러날까 봐 조마조마하며 없는 듯이 살아온 것이 습관인지라, 나는 어디를 가도 조용히 왔다가 조용히 간다. 그런 소심한 모습의 사람일지라도 나는 특별한 나만의 모습을 사랑한다. 아직도 여전히 가능성이 많은 유전자는 99.5%나 잠재되어 있다. 단 0.5%만이 다르게 사람마다 차이가 날 뿐이다. 단 0.5%의 차이만으로도 이렇게 다양하고 다들 독특한데, 앞으로 계속해서 출현할 것 같은 수많은 사람들의 다양함과 독특함은 놀랄 일도 아니라는 것이다. 그럴 수도 있다는 것이다. 다양함의 가능성은 아직도 99.5%나 더 남았다는……

우리 안에 99.5%나 잠재되어 있는 아직 모르는 세계! 가능성의 세계!

우리 이제!

아직도 가능성이 무궁무진한 우리 자신을 믿고 도전해 보자!

덕분에 더 나은 사람이 되었어

발행 2024년 1월 10일

지은이 강희진, 최효나, 김태인, 민경해, 이영웅, 홍정아, 단비, 박태랑, 김서영, 김현정

라이팅리더 양기연

디자인 윤소정

펴낸이 정원우

펴낸곳 글ego

출판등록 2019.06.21 (제2019-000227호)

주소 서울시 강남구 강남대로 118길 24 3층

이메일 writing4ego@gmail.com

홈페이지 http://egowriting.com

인스타그램 @egowriting

ISBN 979-11-6666-431-1